BIBLIOTECA DI GRAZIA

IL SAPER VIVERE

di Donna Letizia

illustrato dall'autrice

ARNOLDO MONDADORI EDITORE

I edizione settembre 1960
VI edizione riveduta e ampliata gennaio 1971
I edizione Biblioteca di Grazia agosto 1972
IV edizione Biblioteca di Grazia gennaio 1980

a Susanna e Letizia

INDICE

IL SAPER VIVERE

CAPITOLO I

NASCITA E BATTESIMO

Gravidanza

LA GRAVIDANZA non viene annunciata agli amici prima della scadenza del terzo mese: per buon gusto e per prudenza. I futuri genitori conterranno la loro gioia, guardandosi bene dal seguire l'esempio di quel giovane marito che si presentò una sera a un ricevimento, pregando la padrona di casa di scusare la moglie rimasta a casa.

Alla domanda se fosse ammalata, rispose sottovoce che aspettava un bambino. « Che bellezza! », si congratulò la signora, « da quanto tempo? » E lui, esultante: « Da oggi pomeriggio! ».

La clinica

Il parto in casa va ormai scomparendo: i medici lo sconsigliano, cliniche e ospedali offrono, in caso di complicazioni, il vantaggio di un'assistenza più pronta e sicura, il ginecologo si occupa della puerpera, mentre il pediatra si dedica al neonato.

Per la scelta di una casa di cura ci si rimette al medico che ha seguito la gravidanza e si fissa la camera con un certo anticipo.

In Italia, le cliniche sono spesso dirette da suore; al momento di pagare il conto si lascia alla Madre Superiora un'offerta per la cappella (cinque o dieci mila lire in una busta). Alle suore infermiere, in genere, non si lasciano mance, ma un regalino ricordo (portamonete, lapis d'argento, vasetto da fiori ecc.). Se l'Ordine vieta loro di accettare regali, si offrirà una scatola di cioccolatini o una bomboniera di battesimo con i confetti. Le mance invece vanno date alle inservienti che provvedono alla pulizia della camera, al portiere, al facchino.

Dichiarazione in Municipio

Prima che scada il termine prescritto, che è di dieci giorni, il padre o chi lo rappresenta dichiara il neonato all'Ufficio di Stato Civile del Comune dove è avvenuta la nascita. Si presenterà con due testimoni ed esibirà il certificato del medico e il libretto di matrimonio, o qualche altro documento di identità. La dichiarazione di nascita è obbligatoria anche se si tratta di un bambino non vitale.

Battesimo

Se il bambino nasce delicato o prematuro, la Chiesa raccomanda il Battesimo al più presto. In questo caso, lo si celebra nella cappella stessa della clinica, riunendo pochi parenti e i padrini. Dopo la cerimonia, viene offerto lo *champagne* nella camera della puerpera. Ma normalmente il Battesimo si celebra dopo il ritorno della mamma a casa. Nel frattempo, il padre avrà preso tutti gli accordi per la cerimonia con il Parroco, precisandogli per iscritto i nomi che intende dare al bambino.

L'ora migliore per il Battesimo è il tardo mattino o il primo pomeriggio. Nel primo caso, può seguire una colazione, nel secondo un tè o, sul tardi, un *cocktail*. In chiesa si recano soltanto i parenti, gli amici più intimi e, naturalmente, il padrino e la madrina. Niente corteo: l'appuntamento è in chiesa per l'ora stabilita. Le signore vestono come per una colazione elegante. Il padrino indossa un completo da pomeriggio. Tocca alla madrina tenere in braccio il neonato; il padrino si mette al suo fianco. Il bambino può anche essere tenuto dalla balia, che avrà alla sua destra il padrino e alla sua sinistra la madrina. Questi ultimi hanno il cómpito di rispondere alle domande rituali. Niente paura: non si tratta di risposte difficili, e del resto si può seguire la liturgia sul manuale.

Volendo evitare al bambino i rischi di un'uscita prematura, si può far celebrare il Battesimo in casa. Il Parroco darà tutte le indicazioni opportune circa l'organizzazione della Cerimonia. Un angolo del salotto, o della sala da pranzo, o della camera matrimoniale, verrà appositamente preparato: la più bella tovaglia bianca, da tè, verrà stesa sul tavolo o sul mobile scelto; sopra si disporranno due candelieri d'argento e se possibile se ne metteranno altri qua e là, in sostituzione della luce elettrica. L'appartamento, o per lo meno l'ambiente destinato alla cerimonia, verrà ingentilito con fiori bianchi.

Il Parroco sarà pregato di trattenersi al ricevimento che seguirà il Battesimo e al momento del commiato gli si darà un'offerta in una busta, adeguata al tono e alle possibilità della casa.

Padrino, madrina

Un tempo le parti del padrino e della madrina spettavano quasi automaticamente ai nonni. Oggi, la logica prevale sulla tradizione: padrino e madrina devono essere giovani. A loro competerebbe, almeno in teoria, il dovere di assumersi la responsabilità spirituale del bambino, se questi dovesse rimanere orfano: vanno scelti perciò tra i fratelli o tra gli amici intimi dei genitori, e devono possedere sicuri requisiti morali e religiosi.

Nello sceglierli, bisogna anche tener conto che la cerimonia del Battesimo li obbligherà a delle spese che devono poter affrontare senza disagio. Molti genitori, mossi dall'ambizione, si rivolgono a qualche conoscenza "importante": un'Eccellenza, una ricca contessa, uno scrittore illustre. Hanno torto: le Eccellenze, le ricche contesse, i personaggi illustri, gradiscono raramente questi privilegi e, nel migliore dei casi, ritengono di aver largamente esaurito i loro obblighi verso il figlioccio, apparendo fugacemente alla cerimonia, preceduti da un vistoso e inutile regalo destinato, negli anni futuri, a rimanere l'unica testimonianza della loro sollecitudine.

Doni del padrino e della madrina

Il libretto di risparmio inaugurato con un primo deposito (che dovrebbe essere seguito da altri regolari depositi a ogni anniversario del figlioccio) è un regalo che soddisfa mediocremente i genitori del bambino. Essi sanno che di questi bei proponimenti c'è da fidarsi poco. E così, anche il "primo cucchiaio di un servizio per dodici" che la madrina offre, promettendo di completare la serie anno per anno, viene accolto con rassegnata gratitudine.

Una volta, spettava alla madrina offrire il vestito da Battesimo, tutto merletti e ricami. Oggi, tale consuetudine è scomparsa e tanto meglio così ché altrimenti sarebbero forse scomparse anche le madrine. I loro obblighi si limitano più ragionevolmente a quanto segue:

– *Un regalo al neonato: catenina d'oro con medaglietta sacra, o spilla d'oro da bavaglino, o bicchiere d'argento, o posatine d'argento: a scelta.*

– *Dei fiori o un regalo alla puerpera.*

– *Una regalia in una busta all'ostetrica e alla balia.*

Gli obblighi del padrino, in certe regioni d'Italia, sono più impegnativi. Se non ha tempo di pensarci, o teme di sbagliare, può chiedere alla madrina di aiutarlo:

– *Dovrà, il giorno del Battesimo, provvedere ai confetti; a quelli sciolti farà aggiungere una dozzina almeno di bomboniere già confezionate (i genitori provvederanno se necessario a quelle supplementari), e le manderà alla madre insieme con un bel cesto di fiori bianchi. I confetti saranno rosa o azzurri, a seconda che si tratti di un maschio o di una femmina.*

– *Alla comare-madrina manderà una coppa (preferibilmente d'argento) o una elegante bomboniera di confetti.*

– *Al sacerdote che ha celebrato il Battesimo darà, subito dopo la Funzione, una bomboniera di confetti insieme con l'offerta.*

– *Al sagrestano e al chierichetto, una mancia.*

Obblighi del padrino e della madrina

In linea di massima, *gli obblighi del padrino e della madrina sono di ordine morale e religioso e scadono alla maggiore età del figlioccio.* Se il neonato è maschio, prevarrà il padrino. Se è femmina, la madrina. L'uno e l'altra devono fargli un regalo a ogni anniversario. Spesso vengono chiamati "zio" e "zia" dal bambino.

Non ci si propone come padrino o madrina: spetta ai futuri genitori prendere l'iniziativa della richiesta, saggiando prima il terreno per evitare l'eventualità di un rifiuto, sgradevole per tutti.

Chi non desidera accettare l'incarico di padrino o di madrina può obiettare che ha già altri figliocci e non ritiene di poter assumere nuove responsabilità.

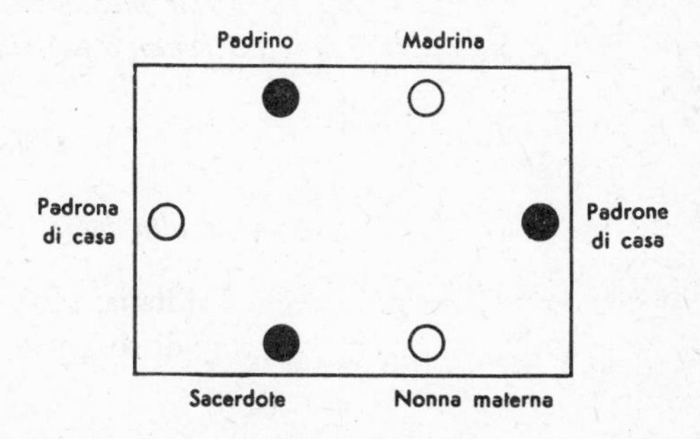

Ricevimento di Battesimo

Se la mamma non è in condizioni di assistere al ricevimento di Battesimo, la madrina fa le sue veci, ricevendo gli ospiti insieme alla nonna materna. Che si tratti di un *buffet freddo*, di una vera e propria *colazione*, di un *tè* o di un *cocktail*, salotto e sala da pranzo saranno per l'occasione rallegrati da fiori bianchi, e sulla tavola non mancherà un vassoio colmo di confetti. Il sacerdote che ha celebrato il Battesimo è invitato al ricevimento: se si teme che l'atmosfera di un *cocktail* sia troppo frivola per lui, lo si inviterà piuttosto a una colazione in famiglia. A tavola, egli siederà alla destra della padrona di casa. Alla sinistra di questa siederà il padrino. Alla destra del padre, la madrina, e alla sua sinistra la nonna materna. Se la madrina sostituisce la mamma del bambino, il padrone di casa siederà di fronte a lei e avrà al fianco le due nonne: la suocera alla sua destra, la propria madre alla sua sinistra.

Colazione, *tè*, *cocktail* o *pranzo*, lo *champagne* non può mancare. Sarà il padrino, o in mancanza di questi la madrina, a dare il via ai brindisi. Il neonato farà una breve apparizione in braccio alla balia e, ovviamente, tutti saranno concordi nel dichiararlo bellissimo. Se i suoi tratti confusi e ancora privi di espressione rendono difficile qualsiasi elogio, si potrà comunque osservare che ha le unghie perfette.

Come partecipare la nascita

La nascita di un bambino interessa solo una stretta cerchia di amici e di parenti ai quali si può annunciare l'evento con poche righe scritte a mano su un biglietto di visita. Per esempio:

CARLO E GIOVANNA FERRI
(a mano) *partecipano con gioia la nascita di Pier Luigi*
7 maggio 1959

Di questo cómpito poco faticoso può occuparsi la madre nei giorni di ozio obbligato che seguono il parto. A chi preferisce la partecipazione stampata, si raccomanda di evitare le formule fantasiose o spiritoselle: *"Lillina annuncia che la cicogna le ha portato, il 3 settembre, uno splendido fratellino!"* o peggio: *"Il 6 agosto è sceso dal cielo, in casa Rossi, il piccolo Sergio di quattro chili e seicento"*. Chi riceve partecipazioni di questo tipo, è autorizzato a dedurne che la felicità ha provocato deplorevoli turbamenti nel cervello dei neogenitori.

Regali alla puerpera

Non ci si presenta mai a mani vuote al capezzale di una puerpera. Ecco qualche suggerimento per i regali:

Bavaglino, scarpine da neonato, lenzuola e federe da culla, camicina di batista ricamata, coprifasce di maglia lavorata a mano, cuffietta, coperta da culla o da carrozzina, spazzolina da capelli, porta talco, porta ovatta, "carillon" per la culla, ecc.

Chi preferisce presentarsi con dei fiori abbia cura di sceglierli poco profumati e preferibilmente chiari. La puerpera svolge il pacchetto in presenza dell'amica. Ringrazia commossa, anche se si tratta del ventesimo bavaglino della giornata.

La balia o tata

La balia va scomparendo, rimpiazzata ormai, meno pittorescamente ma più economicamente, dai vari alimenti in polvere. Comunque, per chi può e preferisce attenersi alle vecchie tradizioni ricordo che la *balia* dev'essere vestita da capo a piedi a spese della padrona; va attentamente sorvegliata e diretta (salvo casi eccezionali) nelle sue mansioni. Meno perfetta e puntuale della governante diplomata, ma spesso più affettuosa e materna di quest'ultima, è indicata in quelle famiglie dove la mamma intende seguire da vicino il suo piccolo e dove l'andamento della casa esige che ognuno collabori del suo meglio senza tenere strettamente conto dei diritti e dei doveri pattuiti. È consuetudine farle un regalo di un certo valore (sostituibile con un'equivalente somma di denaro) in occasione del primo dente del bambino, o alla scadenza del primo anno di permanenza.

Baby sitter

La baby sitter è in genere una studentessa, un'impiegata o semplicemente una fidanzata che desidera qualche soldo in più per completarsi il corredo. Il suo compito è quello di sorvegliare il bambino o i bambini durante quelle ore che il papà e la mamma dedicano a qualche svago fuori casa. Vengono reclutate presso associazioni specializzate, qualche volta nel giro dei conoscenti o fra i coinquilini. Si retribuiscono a ore. Se la ragazza abita lontano ed è "appiedata", il padrone di casa, rientrando con la moglie a sera tarda, offre di riaccompagnarla a casa in macchina: la signora non se ne adombra, se in caso darà, previdente, la preferenza nella scelta a una baby sitter fidanzatissima o convenientemente sbiadita.

Governante diplomata

La *governante diplomata* viene generalmente assunta secondo un contratto stampato fornitole dall'istituto dove ha studiato. Questo contratto stabilisce chiaramente i suoi doveri, i suoi diritti e la durata della sua permanenza nella famiglia che l'assume (durata che può essere prolungata di comune accordo). La *governante*, o *nurse*, possiede un corredo personale che comprende grembiuli e uniformi per casa e per fuori. Essa non prende i pasti con le persone di servizio, ma in camera sua, o a tavola con i padroni di casa. Si occupa del bucato del bambino e della pulizia della stanza che divide con lui. La sua biancheria personale, invece, grembiuloni e uniformi, devono essere lavati dal personale di servizio. Non la si chiama per nome, non le si dà del tu: se è di nazionalità italiana viene chiamata "Signorina", se tedesca "*Schwester*", se francese "*Mademoiselle*", se inglese "*Nurse*".

La governante diplomata, in Italia è in genere poco gradita alle nonne e alle parenti anziane che mal sopportano di venir estromesse dalla *nursery* quando è l'ora della poppata o della nanna, e rimpiangono le docili "tate" dei loro tempi, sempre disposte a togliere il bambino dalla culla.

L'istitutrice

Quando il bambino è sui quattro anni, la governante viene sostituita dall'*istitutrice.* Prima di assumerla, ci si accerta che abbia buone maniere, buona istruzione e non parli in dialetto. Se straniera, si dovrà essere ancora più cauti: le svizzere-francesi e le svizzere-tedesche, per esempio, raccomandabilissime come governanti, sono a volte sconsigliabili come istitutrici per la loro pronuncia regionale. L'istitutrice prende i pasti con il bambino, a tavola o a parte, secondo le consuetudini della famiglia. In nessun caso mangia in cucina. Va trattata con riguardo e si eviterà di farle qualsiasi osservazione in presenza del bambino o del personale di servizio. Se dimostra cattivo gusto nell'abbigliarsi, la signora le regalerà vestito, soprabito e tutti quegli accessori che desidera sostituire nel suo guardaroba. A tavola l'istitutrice è servita dopo gli adulti, ma sempre prima dei ragazzi. Ci si rivolge a lei chiamandola "Signora" o "Signorina". Non si pretenderà che lavi gli indumenti del bambino, né che provveda alla pulizia della sua stanza, però si esigerà che la mantenga in perfetto ordine. Se arrivano visite ed ella si trova in salotto, verrà presentata ad ognuno: da parte sua, avrà il buon gusto di non trattenersi troppo, ritirandosi discretamente.

Ragazze alla pari

Pericolose quelle fatte venire dall'Inghilterra senza accurate indagini. Liberissime, spesso disordinate, inefficienti, portano in casa lo scompiglio, in compenso alla partenza si lasciano dietro sospironi di sollievo. Beninteso non sempre è così, può capitare la vera "perla", educata, volonterosa, amabile. Non dovrà abusarne la signora, le chieda pure di collaborare in certe fatiche di casa, ma in nessun caso scaricherà su di lei i lavori più ingrati e pesanti. Insomma verrà trattata come un'amica della figlia e non come una domestica. Sarà bene stabilire chiaramente, prima del suo arrivo, il compenso settimanale che le spetta per le sue spesette personali.

CAPITOLO II

I BAMBINI

I maleducati

Una giovane signora, che mi aveva invitata con altre amiche per il tè, mi descriveva, indignata, le pessime maniere dei bambini di una sua cognata: maleducati, prepotenti e, soprattutto, impossibili a tavola. Mentre lei si sfogava, suo figlio – quattro anni – tuffava le dita nella crema di una meringa e se ne impiastricciava il viso. Ogni tanto la madre s'interrompeva per rivolgergli un distratto rimprovero di cui, beninteso, egli non teneva conto. E io ne deducevo quello che leggendomi ne deducete anche voi, cioè che i bambini maleducati sono sempre ahimè, "quelli degli altri".

In salotto

Il bambino va chiamato in salotto soltanto se la persona in visita chiede di vederlo. Non si trattiene più di dieci minuti. Avrà le mani pulite e i capelli ravviati. Se è una bambina, farà la riverenza. Se è un bambino, chinerà la testa sulla mano che la signora gli porge accennando a un baciamano corretto. Non gli si imporrà di recitare qualche poesiola, non si vanteranno, lui presente, le sue prodezze, ma nemmeno lo si umilierà col resoconto delle sue disubbidienze. Dovrà rimanere in piedi, composto, senza contorcimenti, e aspettare senza sollecitarlo l'immancabile pasticcino-premio. Al primo cenno si ritirerà, dopo aver ripetuto i saluti.

A tavola

Una volta, i bambini non dovevano aprir bocca a tavola. Oggi si è più elastici su questo punto: proibir loro di parlare durante i pasti significherebbe privare il padre dell'unica occasione della giornata di godersi la loro compagnia. Parlino pure, quindi, ma senza abusare del permesso. Non interrompano i discorsi dei grandi e non bisticcino fra loro.

Si sarà severissimi nell'esigere un comportamento perfetto: le buone maniere (specialmente a tavola) devono diventare un'abitudine, quasi un istinto nel bambino. Più che l'insegnamento varrà il buon esempio quotidiano degli adulti: un padre che a bocca piena esiga, in nome del galateo, che il figlio tolga i gomiti dalla tavola, sarà forse prontamente obbedito, ma certamente con qualche riserva mentale.

I bambini al disotto dei dieci anni, non dovrebbero pranzare con i grandi la sera. Se ciò non è possibile, a cena finita non si tratterranno a lungo in salotto; al primo cenno dei genitori si ritireranno senza bronci né capricci.

Parimenti un ragazzo (o una ragazza) al disotto dei diciassette anni non dovrebbe essere ammesso a tavola se ci sono invitati di riguardo.

Pulizia e igiene

La mamma sarà intransigentissima sul capitolo pulizia: verificherà giornalmente denti, orecchi e unghie. Abituerà il bambino a considerare l'acqua con simpatia: non gli lesinerà bagni e docce. Testa in ordine e mani pulitissime ogni volta che si presenta a tavola.

La cicogna

La storiella della "cicogna", come quella della "foglia di cavolo" e tutte le altre consimili, sono graziose, ma imprudenti e pericolose. Prima o poi, il bambino si accorge di esser stato ingannato ed è quindi spinto a diffidare dei genitori. Meglio una spiegazione "di mezzo", con un fondo di verità, che lo prepari gradualmente alla rivelazione completa. Ed ecco, più o meno, la "storiellina" che consiglio: il bambino si forma nel corpo della mamma, al riparo del suo cuore. Rannicchiato in quel calduccio, matura giorno per giorno come il pulcino nell'uovo finché, trascorsi nove mesi, improvvisamente il corpo della mamma si schiude come un fiore e il bambino viene al mondo.

Feste di bambini

Le feste di bambini si svolgono tra le quattro del pomeriggio e le sette. La merenda viene servita in sala da pranzo. Per le bevande ci si regola secondo la stagione: cioccolata, tè caldo o freddo, spremute di frutta, oppure gelati. Da mangiare: fettine di pane imburrato con marmellata o miele, *brioches*, crostate, *plum-cakes*, dolcetti, meringhe alla panna. Se si festeggia un compleanno, la torta con le candeline. Una persona adulta (la padrona di casa o la governante) presiede alla merenda. Le mamme, generalmente, non vengono invitate. Possono, tuttavia, venire a riprendere i figli e trattenersi un momento con la padrona di casa se sono in rapporti di amicizia con lei. Altrimenti, il bambino deve essere accompagnato e ripreso dalla governante o da una persona di servizio. Gli inviti ai compagni di scuola per una festa importante vanno fatti tramite la governante oppure da mamma a mamma, soprattutto se si tratta di un primo invito. Se la madre del bambino invitato rifiuta senza aggiungere: « Sarà per un'altra volta » o una frase equivalente, vorrà dire che non gradisce rapporti extrascolastici. Non si ripeterà, quindi, mai più l'invito, ma non si faranno acidi commenti di fronte al bambino: nuocerebbero soltanto a lui. (Per i ricevimenti di bambini vedi anche p. 190.)

Doveri verso gli insegnanti

Dei maestri si parla sempre con rispetto dinnanzi ai ragazzi. Se il bambino racconta qualche scherzo organizzato in classe ai danni dell'insegnante, o qualche episodio che mette quest'ultimo in ridicolo, i genitori, anziché riderne, avranno il buon gusto di disapprovare. Non copriranno di doni e gentilezze una maestra alla vigilia degli esami né tenteranno delle raccomandazioni fuori posto. Se desiderano manifestare la propria gratitudine a un insegnante, aspettino, per mandare un regalo, che l'anno scolastico sia chiuso. I fiori, invece, sono ammessi in qualsiasi ricorrenza.

Se un insegnante, o il Preside o il Direttore, esprime un giudizio negativo circa le attitudini di un allievo, i genitori che lo ascoltano non se ne dimostreranno offesi o indispettiti. Cerchino, semmai, di capire i motivi del suo cattivo rendimento, e che un pacato buon senso prevalga sull'amor proprio paterno e materno: i giudizi degli insegnanti sono quasi sempre esatti perché basati su un'esperienza quotidiana di vita scolastica e perché disinteressati.

Se il bambino prende le ripetizioni a casa dell'insegnante, deve essere accompagnato e ripreso con la massima puntualità: per nessuna ragione in ritardo sull'orario stabilito. Quando si disdice una lezione all'ultimo momento, sia pure per validi motivi, si è tenuti a pagarla ugualmente.

A chi dà lezioni private si può offrire un dono anche senza attendere la fine dell'anno scolastico (ad esempio, a Natale).

La madre non assiste alle lezioni private del figlio, non le interrompe con questo o quel pretesto. All'arrivo, o al momento del commiato, si presenta per salutare la maestra, informarsi dei progressi

del ragazzo, ringraziare. Da parte sua, la maestra si alza per salutare la signora (a meno che questa sia sensibilmente più giovane di lei), ma se le interruzioni si ripetono continua la lezione senza farci caso. Gli onorari per le lezioni private vengono stabiliti direttamente tra la signora e l'insegnante, mai tramite il bambino. Il pagamento avviene in busta chiusa.

Rapporti fra grandi e piccoli

Proibitissimo alle persone adulte:

- *Parlare ai bambini come se fossero dei barboncini ammaestrati o come se non capissero assolutamente nulla.*
- *Prenderli in giro davanti a terzi (i bambini hanno raramente umorismo).*
- *Umiliarli raccontando qualche loro marachella davanti a un estraneo.*
- *Parlare in loro presenza di cose sconvenienti, dir male del prossimo, criticare una persona alla quale essi debbono rispetto.*
- *Portarli a degli spettacoli inadatti alla loro età.*
- *Lasciare a portata di mano dei ragazzi libri o giornali che non devono leggere.*

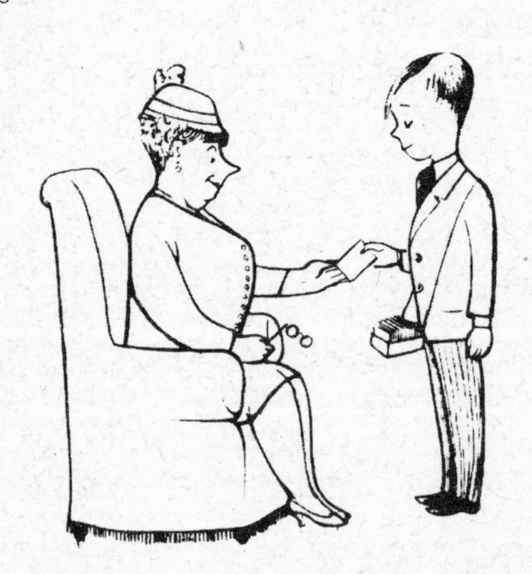

CAPITOLO III

CRESIMA E PRIMA COMUNIONE

I bambini si accostano alla Prima Comunione preferibilmente tra i sette e gli otto anni. La Cresima può coincidere o no con essa; spetta al Parroco dare tutte le informazioni che riguardano questa doppia cerimonia. Mi limiterò, qui, a raccomandare ai genitori di rispettare il periodo di raccoglimento che la precede, di evitare in quei giorni le conversazioni frivole, gli scatti nervosi, i pettegolezzi di qualsiasi genere.

Il vestito

Nella scelta del vestito per la Prima Comunione, la mamma non si comporta come se dovesse agghindare la figlia per un ballo in maschera. Non la ingofferà di sottanoni, non la foderera di tulle e di pizzi come una culla, non cercherà a tutti i costi una soluzione "originale". Ricorderò sempre, nella chiesa di San Babila a Milano, una comunicanda con la testa inghirlandata di lampadine elettriche che essa accendeva e spegneva coscienziosamente, seguendo la liturgia, servendosi di un interruttore che le sbucava da una manica. E che dire di quelle bambine trascinate il giorno della Comunione per le vie del centro? Gli sguardi con cui si squadrano, quando si incrociano, lasciano perplessi: sono le stesse micidiali occhiate che si scambiano in un ricevimento due signore nell'attimo in cui scoprono di indossare il medesimo modello.

L'abito della comunicanda deve essere semplice, di un tessuto non pretenzioso – picchè, batista, cotone – ingentilito da un ricamo, da una guarnizione di pieghettato, da un'incrostazione di sangallo. Organza, raso, seta, broccato, sono sconsigliabili.

Per il bambino si può scegliere tra il completo "alla Eton" (giacca

corta, attillata in vita, pantaloni lunghi grigi e colletto inamidato) oppure la giacca blu a uno o due petti, sempre accompagnata dai pantaloni grigi, o un insieme di linea moderna purché non troppo fantasioso e eccentrico.

Il sacerdote

Se le lezioni di catechismo sono collettive, alla fine del corso i bambini stabiliscono una quota a testa per fare un regalo al sacerdote. Potrà trattarsi di una coppia di candelieri, di qualche soprammobile, di un volume d'Arte Sacra, di un oggetto da scrittoio, ecc.

Padrino e madrina

Per la Cresima (e non per la Comunione) sono indispensabili un padrino per il maschio e una madrina per la femmina. Spetta a loro legare intorno alla fronte del cresimato il nastro di seta bianco e oro. La madrina regalerà alla bambina *una catenella d'oro con medaglietta* (la data incisa su una parte, e sull'altra un'immagine sacra) oppure *un messale* o *un rosario*, a seconda della cifra che intende spendere. Il padrino potrà scegliere tra *un orologio da polso*, *un libro sacro*, *una stampa religiosa.* Altri doni da suggerire agli amici: *libri di soggetto religioso (I fioretti di San Francesco,* una *vita di Gesù,* oppure *del Santo di cui il bambino porta il nome)*. E poi, *tagliacarte d'argento, stilografica, cartella da scrittoio...* insomma qualsiasi oggetto che non sia frivolo.

In Chiesa

Alla cerimonia assistono i genitori, i parenti ed eventualmente gli amici più cari. Le signore vestono come per una colazione elegante. A cerimonia terminata, abbracciano il bambino astenendosi da commenti stonati come questo, colto purtroppo dal vero: « Complimenti Lallina! Sembri proprio una sposina di Dior! ».

Colazione

Alla cerimonia segue una colazione in famiglia con un *menu* leggero, preferibilmente "bianco". Non si spaventino le Lettrici: il *menu* bianco non presenta grandi difficoltà. Eccone due esempi:

– *Riso e petti di pollo alla besciamella, con consommé in tazza;*
– *Insalata belga;*
– *Formaggio stracchino;*
– *Dolce di mandorle.*

Oppure:

– *Uova sode alla besciamella;*
– *Filetti di sogliole, con purea di patate;*
– *Insalata di sedani e indivie;*
– *Meringhe alla panna o gelato al limone.*

Prima della colazione, o subito dopo, il bambino riceve i regali: trascorrerà il pomeriggio tranquillamente in casa, circondato dalla famiglia, soprattutto se all'ora dei Vespri dovrà tornare in chiesa. Il ricevimento vero e proprio dovrebbe ragionevolmente venir rimandato all'indomani, oppure alla domenica successiva per evitare che al ricordo della cerimonia si debba sovrapporre quello di una rumorosa merenda. A questa parteciperanno i cuginetti, gli amici e, volendo, anche alcuni amici dei genitori. Si potrà preparare la tavolata dei piccoli in sala da pranzo, mentre ai grandi si offrirà cioccolata in tazza, spremuta d'arancia, crostata di frutta, un bel dolce. La cioccolata potrà essere sostituita dal gelato. Alla fine della merenda, il bambino farà il giro degli ospiti, grandi e piccoli, offrendo confetti e immagini sacre. Indosserà l'abito della cerimonia e si spera che se ne rammenti anche nei giochi: la parte di "Toro seduto" o di "Jim lo sfregiato" quel giorno non gli si addice.

Le immagini sacre

Le immagini sacre dovranno essere scelte dalla mamma insieme col bambino.

Non gliene verrà imposta una piuttosto che un'altra; si cercherà, semmai, di orientare la sua preferenza secondo il buon gusto, ma lasciandogli l'impressione di essere stato lui a decidere. Sul rovescio dell'immagine si farà stampare una dicitura:

In ricordo della Prima Comunione e S. Cresima
di MARINA MONTI
Cappella di San Felice
Roma 4 aprile 1959

Le immagini verranno inviate ai parenti, agli amici intimi, ai maestri, ai subalterni.

Le fotografie

Si facciano pure delle foto, ma si evitino le pose artificiose, gli occhi al cielo, le mani giunte, il raggio a picco sulla testolina sollevata in estatica adorazione (dell'indice del fotografo). Queste ipocrite messe in-scena sono un insulto alla religione e anche al bambino. Meglio un'istantanea all'uscita della chiesa o in casa.

CAPITOLO IV

GLI ADOLESCENTI

Riservato alle mamme

Molte mamme si proclamano con un misto di compiacenza e di civetteria "le migliori amiche" delle loro figliole, concludendo immancabilmente: « Non abbiamo segreti, ci raccontiamo tutto! ». I rapporti tra madre e figlia che "si raccontano tutto" covano quasi sempre epiloghi burrascosi. Alla prima divergenza di una certa importanza, la mamma cerca invano di risalire in fretta gli scalini dell'autorità: la figlia le risponde da pari a pari, magari rinfacciandole le sue confidenze, come farebbe appunto con un'amica che volesse improvvisamente imporle la propria volontà.

L'assoluta confidenza "reciproca" è ragionevole e naturale solo quando la figlia, ormai sposata, ha assunto la responsabilità della propria vita.

Ecco riassunti i *10 Comandamenti della buona madre*:

1) *Alla buona madre non preme tanto di essere capita dai figli, quanto di capirli lei.*
2) *Se le accade di bisticciare con il marito in loro presenza, si controlla ragionevolmente.*
3) *Non è gelosa dei loro amici: li sollecita a venire in casa e li accoglie sempre cordialmente.*
4) *Se autorizza un ricevimento di ragazzi, può astenersi dall'apparire in salotto, ma non esce di casa, a meno che qualche persona di fiducia non vi rimanga in sua vece.*
5) *Prima di autorizzare la figlia ad accettare inviti in casa di un'amica si assicura che si tratti di un ambiente "pulito". Non ostacola le sue amicizie con ragazzi di condizione più modesta, purché beneducati.*

6) *Proibisce alla figlia cinematografi e serate a quattr'occhi con un ragazzo.*

7) *In nessun caso dà la chiave di casa alla figlia, anche se questa si reca a una festa di sera accompagnata da una persona di fiducia: o lei o il marito l'accoglieranno al ritorno.*

8) *Non si ostina a imporre vestiti da educanda alla figlia, né pantaloncini al ginocchio al figlio, quando alla prima è già fiorito il seno, e al secondo sono spuntati i baffi.*

9) *Fa di tutto perché la figlia non debba confidare al suo diario o alla migliore amica: "La mamma non mi capisce". Non rifiuta mai di discutere con lei una situazione o un fatto che le stanno a cuore. In queste discussioni non perde mai il controllo. Se la figlia ha un* flirt, *non diventa di colpo sospettosa e aggressiva.*

10) *Non apre la corrispondenza dei figli se non in casi estremi.*

Rossori

Innumerevoli ragazze sono ossessionate dal complesso del "rossore" e scrivono a Donna Letizia lettere disperate: implorano una formula per non arrossire, come implorerebbero una pomata contro i brufoletti. Invariabilmente Donna Letizia risponde che purtroppo non esiste alcuna formula, alcuna ricetta che impedisca questo inconveniente, ma che, d'altra parte, a quindici, sedici, diciassette e anche vent'anni, siamo arrossiti più o meno tutti, e che arrossire non è un difetto, anzi è una qualità, sia pure scomoda per chi la detiene: arrossisce chi è sensibile e onesto. Comunque se il rimedio non esiste, si può cercare di attenuare il disagio che si prova quando si sente il sangue salirci al viso: come? Dichiarando, ancor prima che gli altri se ne accorgano: « Dio mio, ecco che divento rossa... » o qualcosa del genere. Presa così, di petto, la vampata anziché progredire si arresterà in una moderata tonalità di mezzo e scolorirà quasi subito.

Il saluto

Il giovane che entra in un salotto saluta per prima la padrona di casa, poi il padrone di casa e infine i suoi giovani amici. Se fra le persone presenti ve ne sono alcune che non conosce, chiede di essere presentato. Bacia la mano alle signore sposate e, nell'incertezza, anche a quelle di cui non ha afferrato bene, durante le presentazioni, lo stato civile. Se la padrona di casa è distratta da altri ospiti, si presenta da solo alle persone che non conosce. Nel presentarsi dice il proprio nome e cognome. Non tende mai per primo la mano alle signore, ma accenna un inchino del busto; appena la signora gli porge la mano, egli completa il saluto.

Si siede quando la padrona di casa lo ha invitato ad accomodarsi e si alza ogni volta che lei lascia la propria poltrona (a meno che venga pregato di non muoversi).

Se è a passeggio con una ragazza, non la pianta in asso per fermarsi a parlare con gli amici. Se un amico lo ferma (e non dovrebbe farlo), subito lo presenta alla signorina (vedi cap.: "Saluti e convenevoli", pagina 181).

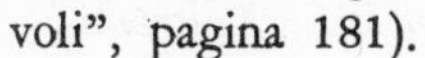

Una *ragazza* non sollecita di essere presentata a un giovane, nemmeno se questi rassomiglia al Divo del momento.

Se un ragazzo le si presenta, deve tendergli per prima la mano. Non dice « piacere », né « felicissima »; si limita a sorridere.

Entrando in un salotto, prima di salutare l'amica che l'ha invitata, saluta la padrona di casa.

Si toglie sempre il guanto destro nel porgere la mano a una signora o a un signore molto anziano. Per strada è ormai ammessa la mano guantata.

Conversazioni fra ragazzi

È di pessimo gusto vantarsi delle proprie conquiste con gli amici. Usare un linguaggio crudo davanti a una ragazza è volgare. Importunare le passanti con apprezzamenti o fischi all'americana, è da *vitelloni.*

Conversazioni fra ragazze

La ragazza che si beffa del suo corteggiatore con le amiche, meriterebbe di rimaner zitella. Quella che dà ad intendere che il tale è pronto a suicidarsi per lei è una presuntuosa ingenua.

Regali e corrispondenza fra ragazzi

I regali tra adolescenti di ambo i sessi sono ammessi, purché si tratti di oggetti senza valore e senza significati sottintesi. Una ragazza non elargisce le sue foto con troppa disinvoltura: potrebbe prima o poi pentirsene. Non scrive a un ragazzo, lei per prima, non gli manda auguri e cartoline esaltate. Se ha preso una "cotta", ne confida il segreto solo alle pagine del suo diario.

Incontri per strada e inviti al bar

Invitata da un amico, incontrato casualmente, a bere qualcosa in un bar, la ragazza non cercherà di far colpo ordinando un *whisky* o un *Armagnac*. Quasi sicuramente il risultato sarebbe controproducente, anzitutto perché si tratta di bevande costose, e in secondo luogo perché sono in questo caso stonatissime. Se l'incontro avviene di mattina, si accontenti di un cappuccino, di un caffè, di un aperitivo o di una spremuta. Se avviene di pomeriggio, chieda un caffè, una Coca-Cola, un frullato, o un gelato.

Autobus e cinema

Se una ragazza incontra un amico sull'autobus o alla fermata del tram, paga da sé il proprio biglietto. Se è stata "invitata" a uscire da lui, gli permetterà di pagare. Quando va al cinema in comitiva, paga come ognuno il proprio biglietto. Se a far parte della comitiva è stata invitata espressamente da un ragazzo, questi pagherà per lei.

Cavalieri intraprendenti

Ecco una lettera-tipo che ricevo frequentemente: *Ho sedici anni e sono invitata spesso a dei ricevimenti misti. Mi piace molto ballare, ma questo divertimento è quasi sempre sciupato dal fatto che i miei cavalieri mi stringono spesso al punto di togliermi il fiato. Non oso reagire per paura di diventare impopolare e di esser costretta a fare "tappezzeria".*

A queste brave figliole, combattute tra il desiderio di ballare, la necessità di respirare e un lodevole senso di pulizia, rispondo generalmente che noi donne, per difenderci e salvar capra e cavoli, disponiamo di un'arma sottile e tutta istintiva: la diplomazia. Un'arma che conviene affilare fin dalla più giovane età. È chiaro che una frase categorica come questa: « Rallenta la stretta, pezzo di villano! » sarebbe disastrosa agli effetti della serata. Dopo aver riaccompagnato la ragazza al suo posto, non solo il giovane non la inviterebbe più, ma si vendicherebbe, forse, spargendo tra gli amici la voce che balla come una credenza. I ragazzi, si sa, sono crudeli.

Come dovrà comportarsi, dunque, la fanciulla che vuol divertirsi, *ma* farsi rispettare? Anziché indignarsi, smonti l'importuno prendendolo amabilmente in giro. Se riuscirà a farlo ridere sarà salva, e da quel giro di ballo riemergerà non solo con il fiato leggero, ma anche con la reputazione di una ragazza spiritosa e in gamba. Devo aggiungere che tale comportamento risulta efficacissimo in molte altre circostanze (al cinema, per esempio, in macchina, e al chiaro di luna)?

Riservato alle quindicenni

Quindicenni incomprese, bistrattate, irrequiete, scontente, eccomi a voi. No, non è giusto che la mamma si ostini ad imporvi abitini infantili, se seni e fianchi vi sono improvvisamente esplosi. Ma intendiamoci: ottenuto il riconoscimento di questo vostro diritto non approfittatene per pretendere anche rossetto e rimmel, per allungare lo *shampoo* alla camomilla con acqua ossigenata. Non assumerete atteggiamenti vissuti, non vi sforzerete di prendere gusto alle sigarette che, grazie al cielo, vi disgustano ancora. E non farete di tutto per abituarvi al *whisky* e ai liquori, cui ragionevolmente preferite spremute di frutta e Coca-Cola. Sono proprio queste "pose" che fanno sorridere gli adulti e li fanno dire di voi, con quella divertita indulgenza che vi dà tanto sui nervi: « È ancora una *cucciolona*, né carne né pesce ».

Il primo amore è una malattia dei 15 anni così come orecchioni e morbillo sono malattie dell'infanzia: curate bene, o troncate per tempo, non lasciano tracce e l'organismo non ne risente. Mal controllate, invece, possono sviluppare gravi complicazioni. Se vi capita l'infortunio di prendere una cotta per un "lui" che esige quanto non si esige da una ragazza che si rispetti, con il solito pretesto « quello che ti chiedo non è che una normale prova di amore », il buon senso vi ispirerà la risposta adeguata: un « NO » deciso. Solo le

ochette si lasciano commuovere da simili argomenti e, se non se ne pentono subito, se ne pentiranno molto il giorno in cui si troveranno di fronte a un fidanzato, un *vero* fidanzato.

Rapporti con la mamma. Non è vero che la mamma non può capirvi. Siete voi piuttosto che spesso glielo proibite: musone, taciturne, aggressive, fate di tutto per scoraggiare la sua sollecitudine. In compenso, vi sfogate per ore con una qualsiasi amica che il giorno dopo avrà dimenticato tutto o sarà pronta, alla prima bisticciata, a divulgare i vostri segreti ai quattro venti.

Le amicizie

Ed eccoci al conflitto particolarmente scottante tra madri e figlie: *le amicizie.* Non tutte le mamme possono sorvegliare da vicino l'ambiente delle loro ragazze: molte sono nell'impossibilità di ricevere, molte hanno un impiego che le tiene lontane da casa gran parte della giornata. A queste mamme ricordo che c'è "la domenica". Si autorizzi la ragazza, quel giorno, a ricevere qualche compagna di scuola o, se l'appartamento non lo permette, si inviti la sua migliore amica al cinema, al teatro, a partecipare a una gita. Se un compagno di scuola passa a prendere la ragazza si esiga che entri, invece di aspettarla sul portone, ma lo si accolga con decoro: la mamma non sarà in vestaglia, il babbo non indosserà la giacca del pigiama. Nulla umilia di più un'adolescente che doversi vergognare dei propri genitori.

Festicciole di ragazzine

Alle mamme più previlegiate che hanno una casa accogliente, tempo a disposizione e un "giro" di conoscenze, consiglio di seguire l'esempio di un gruppo di signore della buona borghesia romana. Stanche del solito ritornello delle figlie: « A me tutto è proibito, mentre alle mie amiche... », queste brave mamme hanno contrapposto, di comune accordo, una specie di codice dei permessi e dei divieti: permesse le festicciole e i balletti in casa degli uni e degli altri, permesse le gite collettive, permessi i teatri, i concerti e i cinema frequentati in gruppo, di giorno. Vietatissime le uscite a coppie singole, i *dancing*, i bar, le sigarette, i liquori e via di seguito.

Gli inviti alle festicciole vengono scritti sui biglietti di visita dei genitori. Per esempio, se invita Sandrina, la formula più consigliabile sarà:

GUIDO E ROMILDA BERTANI

(a mano) } *Sandrina riceverà i suoi amici*
sabato 27 ottobre, alle 18

In questo modo, la madre della ragazza invitata può chiaramente individuare la famiglia che invita.

Queste festicciole si svolgono generalmente dalle sei del pomeriggio alle dieci e mezzo di sera. Un buon grammofono è indispensabile, e in quanto ai dischi, ogni invitato può collaborare portandone qualcuno. La mamma mette a disposizione il salotto, possibilmente alleggerito dei soprammobili più fragili e preziosi, e organizza un *buffet* freddo in sala da pranzo. Non appare alla festa, ma non esce di casa. La sua invisibile presenza ha un utile peso sull'atmosfera generale. Del resto, la persona di servizio funge da messaggero: riferisce se tutto va bene, se le pizzette sono state gradite, se il *grape fruit* è sufficiente e se la signorina ha rispettato l'ordine di non abbassare le luci: un salotto non è un *night-club* e per ballare non è indispensabile che l'*abat-jour* accanto al divano sia velato con un *foulard*.

E ora, ecco come si comporta Sandrina nel ricevere gli amici. Li aspetta in salotto, va incontro a ognuno, non accoglie Giovanna con ululati di gioia e Clotilde con un gelido « ciao », anche se la prima è simpaticissima e la seconda no; nessuno dovrà accorgersi, in casa sua, delle sue preferenze. Se un'amica ha condotto una cugina timida e sconosciuta, Sandrina provvede a presentarla cordialmente: « Adriana Banti ». Appena arriva il "suo" ragazzo non dimentica di colpo i propri doveri di padrona di casa: non si precipita nelle sue braccia per un ballo di tre quarti d'ora. Non si vendica dell'amica che fa la civetta con lui, facendo a meno di offrirle il gelato. È invece gentilissima e fa in modo, da vera signora, che a festa terminata persino lei debba convenire con gli amici che la Sandrina, quando riceve, è proprio formidabile.

Lo svolgimento "tecnico" della festa è il seguente: a mano a mano che arrivano gli invitati si offre loro da bere: coca-cola e spremute di frutta, accompagnate da salatini leggeri. Per i ragazzi più "grandi": aperitivi a scelta, (o addiritura *whisky* che, si spera, verrà sorseggiato con discrezione). Grammofono, giochi di società fino alle otto e mezzo. Quindi, un *buffet* in piedi, probabilmente in sala da pranzo, composto di *supplì*, *sandwiches*, insalate e, volendo, anche di un piatto-forte caldo, per esempio risotto o pizza. Per finire, una crostata di frutta o una macedonia, o un gelato ecc. Da bere: "*cup*", vino semplice o birra. Alle dieci e mezzo in punto gli invitati si congedano. Le ragazze non rincasano sole né tanto meno accompagnate da un ragazzo. Il padre o la madre oppure l'autista con la macchina vengono a rilevarle.

CAPITOLO V

FIDANZAMENTO

I genitori

È cosa risaputa che il fidanzato, oggi, le ragazze se lo trovano da sé. Comunque, dipenderà molto dai genitori che esso provenga da un ambiente giusto. Mi si obbietterà che i giovani d'oggi frequentano chi vogliono, escono con chi gli pare e fanno, fuori di casa, il comodo loro. D'accordo; ma in moltissimi casi, se le cose vanno così, gran parte della colpa è dei genitori che non si sono preoccupati, quando i ragazzi erano ancora piccoli, di coltivare per loro un ambiente di amicizie tra le proprie conoscenze; come non si preoccupano, ora che sono grandi, di invogliarli a ricevere gli amici in casa: la mamma rifiuta di cedere il salotto per una sera, il padre non vuol sentir parlare di spese extra né di strappi alle sue abitudini. Oppure si finisce col permettere un piccolo ricevimento, ma a patto di restrizioni tali che i ragazzi preferiscono rinunciarvi. E così, si incontrano altrove, nei bar, al cinema, in casa di compagni qualsiasi, e a volte pericolosi. Intanto i genitori perdono ogni controllo sulla loro vita, e rimarranno esterrefatti il giorno in cui la figlia (ancora così "bambina e timida") annuncerà che si è fidanzata con un tizio senza fissa dimora.

Se dopo i 25...

Può succedere ancora che passati i ventitré o i venticinque anni, la ragazza che fino a ieri era un fiore, incominci improvvisamente ad appassire, diventi acida e nervosa. La madre accorta non tarda a "capire". Capisce cioè che quello che angustia la poverina è il fatto di non aver ancora trovato marito, e che è giunto il momento, per lei, di intervenire. Con estrema discrezione comincerà a darsi da fare: riaggancerà i rapporti con la signora X, che forse non le è simpatica ma ha tre figli in gamba, tutti scapoli. Solleciterà il consiglio e l'aiuto dell'immancabile amica che "conosce tutti". Spronerà il marito a invitare a teatro il giovane ingegner Rossi che è povero, ma promette un brillante avvenire, o l'avvocato Bianchi che non è più di primo pelo, ma ha una vasta clientela e un appartamento arredato. Dal canto suo, il padre studierà la possibilità di mandare moglie e figlia per la stagione estiva a Viareggio o a Cortina, anziché, come al solito, dai nonni a Castelline in Chianti. E se da questo tramestio verrà fuori, com'è probabile, l'agognato fidanzato, il merito sarà tutto dei genitori.

La proposta

Il giorno in cui l'assiduo corteggiatore si è deciso a fare la fatidica proposta: « Cara, se ci sposassimo? », e lei, trattenendo a tempo il « Finalmente! » che stava per esploderle, risponde invece, convenientemente sorpresa: « Davvero? Perché no? », quel giorno la complicata macchina del matrimonio ha avuto il primo giro di manovella. Appena rincasata, la fanciulla si rinchiude lungamente in camera con la madre. Ne riemergeranno eccitate, forse con gli occhi rossi, e si presenteranno al padre che, ignaro di tutto, sta leggendo l'ultimo giornale che, per molte settimane, gli sarà dato di leggere in pace.

Il giorno dopo, infatti (*supposto che la notizia sia stata accolta favorevolmente*) gli toccherà la prima delle sue fatiche: quella di ricevere il futuro genero. Lo accoglierà in salotto, da solo, all'ora del caffè. Lo interrogherà cordialmente sul suo impiego, sui suoi progetti, sulla famiglia, ma non lo spaventerà con indagini troppo precise di carattere economico. Questo delicato capitolo verrà discusso più tardi tra loro, o tra i genitori, o ancora, se la faccenda si preannuncia delicata, tra i rispettivi legali. Conclusa la chiacchierata (caffè e cognac saranno stati nel frattempo portati dalla donna di servizio), madre e figlia faranno la loro comparsa. La prima si comporterà ragionevolmente; non verserà fiumi di lacrime, non esclamerà patetica: « Lei non sa quale perla le regaliamo! » e altre frasi del genere, che schiuderebbero allarmanti orizzonti al futuro genero.

La seconda, comunque si svolgano le cose, non ostenterà un'aria annoiata come se tutta la faccenda non la riguardasse o fosse soltanto un'inevitabile scocciatura. Il giovane dovrà assicurare alla signora che i suoi genitori sono al corrente di tutto e, naturalmente, felicissimi e desiderosi di sapere in quale giorno e a quale ora la loro visita sarebbe gradita. Gli si fisserà una data qualunque, per il tè, e nel frattempo il giovane, se non lo ha ancora fatto, potrà invitare a colazione dai suoi la fidanzata. Appena congedatosi da quella prima visita, correrà dal fiorista e ordinerà delle rose per la futura suocera. Le accompagnerà con un biglietto da visita (cognome e qualifica cancellati con un breve tratto di penna) e poche gentili parole. Per esempio: "Con commossa e devota gratitudine". A sua volta, la fanciulla, dopo essere stata a colazione in casa del fidanzato, manderà un mazzo di fiori con un biglietto alla futura suocera: "La ringrazio, gentile Signora, di avermi accolta con tanta affettuosa cortesia".

Il fidanzamento ufficiale

Dovrebbe essere annunciato quando anche la data del matrimonio è stata stabilita. Tra le due cerimonie non dovrebbero intercorrere più di sei mesi. Per festeggiare il fidanzamento, i genitori della ragazza organizzano generalmente una colazione o un pranzo cui partecipano i parenti stretti delle due parti. Il fidanzato manderà di buon mattino una *corbeille* di fiori bianchi. Di fiori bianchi sarà guarnita anche la tavola. Prima di pranzo, oppure il giorno precedente, la fidanzata avrà ricevuto l'anello che avrà ricambiato (ma non è obbligatorio) con un orologio d'oro, due gemelli da polso o qualche altro oggetto prezioso. A questa festa di carattere familiare potrà seguire un *cocktail* o addirittura un ballo, offerti dalla famiglia della sposa. Anche in queste occasioni, il fidanzato sarà prodigo di fiori, e gli invitati si faranno precedere da piante fiorite o da *corbeilles* preferibilmente bianche.

L'anello

Spesso, per risparmiare al figlio una forte spesa, la madre sacrifica un anello che egli offrirà alla fidanzata dopo averle chiesto la misura esatta del suo anulare per farglielo adattare. Probabilmente sarà anche opportuno rifare la montatura, se è troppo antiquata. Se invece l'anello viene acquistato, ecco come si procede per evitare situazioni imbarazzanti: il fidanzato si reca, solo, da un gioielliere, e fa mettere da parte diversi anelli oppure alcune pietre e montature accessibili alle sue possibilità. Il giorno dopo torna con la fidanzata, che deciderà della scelta. Naturalmente, il brillante ha il primo posto tra gli anelli di fidanzamento, subito seguito dalla perla e dallo zaffiro. Ma potrebbe darsi che a un brillante minuscolo la fidanzata preferisca un'acquamarina voluminosa: verrà, naturalmente, accontentata. Potrà anche darsi che gli anelli proposti non le piacciano, la deludano, le sembrino troppo modesti. Pazienza: buon senso e buon gusto vogliono che non arricci il naso, che non obbietti che le piacciono solo gli smeraldi o i rubini a *cabochon*. Sua madre le darà il buon esempio: se l'anello non è quello che si sperava, anziché affrettarsi a dichiararlo, assicurerà alla figlia che il giovane ha dato prova di saggezza: meglio serbare il denaro per l'arredamento della futura casa, piuttosto che spenderlo nell'acquisto di una pietra vistosa e, tutto sommato, inutile.

Rapporti con la futura suocera

Lui

Il fidanzato terrà a mente che la futura suocera non è soltanto la madre della fanciulla che ama, ma anche una donna. Sia deferente, dunque, ma con una punta di galanteria. Nulla fa più piacere a una suocera di poter confidare alle amiche: « Mio genero mi adora... ». Non la chiami "mamma", a meno che non sia lei a chiederglielo, ma è più probabile che essa preferisca essere chiamata, ad esempio, signora Maria o donna Clementina. Colga tutte le occasioni per mandarle dei fiori. Se gli accade di assistere a un battibecco tra madre e figlia e questa risponde in modo poco riguardoso (spesso, ahimè, le ragazze credono che l'arroganza con i propri genitori sia una dimostrazione di maturità e di indipendenza), prenda le parti della signora con tatto, ma fermamente. Gliene sarà grata la futura suocera e gliene sarà grata, in fondo, anche la fidanzata.

Lei

Quasi sempre la prima visita alla futura suocera riempie di spavento la ragazza. Che cosa mi dirà? Come dovrò rispondere? Dovrò presentarmi con dei fiori? Abbracciarla? Essere riservata? Espansiva? Sofisticata? Sia naturale, anche a costo di parere terrorizzata: tra una nuora troppo disinvolta e una troppo timida, la preferenza andrà certamente alla seconda. Sia vestita con semplicità e accuratissima nella persona: gli occhi delle suocere attraversano i tessuti, indovinano strappi, macchioline, spille da balia e, naturalmente, ne traggono subito categoriche conclusioni. « Mi pare che la ragazza si lavi poco », oppure « Peccato che sia così sciattona », commenteranno più tardi. Dopo la visita, come è già stato detto in precedenza, la ragazza manderà dei fiori alla signora, accompagnandoli con un biglietto. Non spetterà a lei, nelle visite successive, proporre di sostituire l'appellativo di "signora" con quello di "mamma". Toccherà alla futura suocera prendere l'iniziativa e autorizzarla, se crede, a lasciare il "lei" per il "tu".

Posti a tavola per un pranzo di fidanzamento

Al pranzo in famiglia (a casa della fidanzata) i posti d'onore vengono riservati ai genitori e ai parenti dello sposo. I fidanzati siedono l'uno accanto all'altro.

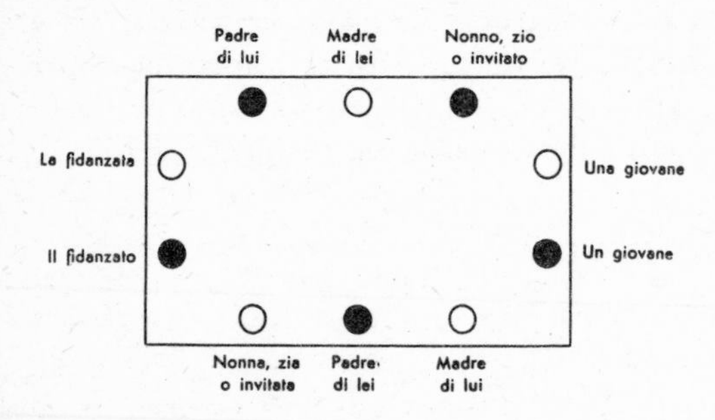

Partecipazioni di fidanzamento

Le partecipazioni sui giornali, in uso in altri paesi, da noi non sono considerate di buon gusto. Ma l'annuncio del fidanzamento e la fotografia della futura sposa possono figurare nelle rubriche mondane di certe riviste femminili. Naturalmente, se i nomi degli sposi sono assolutamente oscuri, sollecitare queste pubblicazioni è inopportuno.

Il fidanzamento viene partecipato a voce, o per lettera, agli amici intimi. Agli altri, i genitori potranno mandare un biglietto di visita sul quale vengono tracciate poche righe a mano. Per esempio:

ALBERTO E ALESSANDRA ROSSI

(a mano) { *sono lieti di annunciare il fidanzamento del loro figlio Cesare con la signorina Carla Prati*

Milano - Via Passarella, 21

Naturalmente, queste partecipazioni vengono mandate dalle due famiglie alle rispettive conoscenze. I signori Prati saranno lieti, perciò, dal canto loro, di annunciare agli amici il fidanzamento della loro figlia Carla con l'architetto Cesare Rossi.

Se il fidanzato è orfano, o di una certa età, la partecipazione viene fatta personalmente da lui. Per esempio:

RINALDO MILANESI

(a mano) { *è lieto di annunciare il suo fidanzamento*
con la signorina Luisa Maggini

Se la fidanzata ha passato i trentacinque-quarant'anni, parteciperà (per lettera) il suo fidanzamento solo agli amici intimi. Se è giovane e orfana, l'annuncio verrà fatto dal più vicino parente, uomo o donna. Parenti e amici rispondono a un annuncio di fidanzamento con un telegramma, una lettera di congratulazioni, o dei fiori.

Famiglie e fidanzati

I fidanzati hanno diritto a una certa libertà. Possono uscire la sera, andare al cinema, al teatro, ai balli. Non sono permessi i *week-end* fuori città, a meno che la ragazza sia accompagnata dalla madre o da una persona di fiducia che ne assuma la responsabilità. I fidanzati si invitano a vicenda ai pasti di famiglia, ma durante tutto il periodo di fidanzamento si dovrebbe evitare che dormissero sotto lo stesso tetto. I fidanzati devono essere sempre invitati insieme e insieme devono affrontare l'inevitabile giro di visite al parentado.

Durata del fidanzamento

I fidanzamenti prolungati sono sconsigliabili: logorano i nervi a tutti, la sposa deperisce, lo sposo si fa irrequieto, le madri portano scritta sulla fronte una sospettosa e crescente inquietudine. Sei mesi dovrebbero essere il limite massimo di un fidanzamento, *dopo un ragionevole periodo di conoscenza.*

Rottura di fidanzamento

Qualunque sia il motivo di una rottura di fidanzamento, la versione che se ne dà agli amici e ai conoscenti deve essere impersonale e senza commenti: « divergenza di carattere ». E pazienza se nessuno ci crederà. Intanto lui si affretta a restituire lettere e fotografie, lei rimanda l'anello e gli altri doni di valore. Poi, se ne ha la possibilità, partirà per qualche settimana.

I regali di nozze vanno restituiti, accompagnati da un biglietto, e in certi casi è opportuno che anche la madre scriva qualche riga alle amiche.

Con le sue coetanee, la ragazza si giustificherà pressappoco così: "*Cara Teresa, ti rimando il tuo bellissimo regalo, desolata che ti sia presa tanto disturbo per niente: infatti il nostro matrimonio non avrà luogo. Ci siamo accorti alla vigilia di sposarci (e ne siamo mortificati per gli amici) di non essere sicuri dei nostri sentimenti, e di certe divergenze di carattere che potrebbero pregiudicare il nostro avvenire. E allora preferiamo questa soluzione che ci permetterà di rimanere buoni amici. Grazie ancora, mia cara, e credi a tutta la mia affettuosa e confusa gratitudine...*".

E la mamma, dal canto suo, a una conoscente:

"*Gentile amica, Maria ha provveduto a spedirle oggi il suo bellissimo regalo. Siamo confuse e desolate che lei si sia data tanta pena inutilmente: dopo molte riflessioni i ragazzi hanno infatti deciso di rompere il fidanzamento. Non posso fare a meno, tutto sommato, di approvare la loro decisione, date le divergenze di gusti e di carattere che si sono rivelate approfondendo la reciproca conoscenza. Ciò non toglie che io mi senta molto mortificata nei confronti di chi, come lei, ha dimostrato tanta gentilezza e premura. Voglia scusarci, gentile amica, e voglia credere alla mia più viva gratitudine...*"

(Vedi altri esempi di lettere nel capitolo: "Corrispondenza" a pagina 233).

CAPITOLO VI

PRELIMINARI E PREPARATIVI DI NOZZE

Partecipazioni

Se si desidera che il matrimonio venga celebrato in forma privatissima, presenti i soli testimoni, pochi parenti e amici intimi (preavvisati a voce o con un biglietto personale), le partecipazioni verranno spedite il giorno stesso della cerimonia o subito dopo. *Normalmente, invece, vanno spedite con una quindicina di giorni di anticipo.* La lista degli indirizzi deve essere compilata con larghezza; non si dimenticheranno i subalterni, la ex-istitutrice, la sartina di casa, ecc.

Spetta alla famiglia della sposa provvedere alle partecipazioni. Si chiederà ai genitori dello sposo quante partecipazioni desiderano avere per i loro amici: nel consegnarle (con ragionevole anticipo) non si dimenticheranno le relative buste e si confronteranno le due liste per essere sicuri che le conoscenze comuni non ricevano un duplicato.

Le partecipazioni fantasiose su cartoncino colorato, a caratteri gotici, con formule fuori dell'usuale sono da evitare. Se gli sposi appartengono a famiglie dai nomi altisonanti e fregiati da una lunga filza di titoli, un formato più grande del consueto è ammesso, altrimenti la misura classica, di buon gusto, è all'incirca di cm. 12 e mezzo per cm. 16 e mezzo. I caratteri preferibili sono quelli in corsivo.

Nelle partecipazioni è meglio non far precedere il cognome di ragazza della madre dalla parola "nata" che suona sgradevolmente burocratica, a meno che tale precisazione non si renda necessaria per maggior chiarezza.

In linea di massima, si elencano i titoli nobiliari e professionali dello sposo e dei genitori degli sposi, mentre è preferibile che la sposa professoressa o dottoressa sia in quella circostanza, più femminilmente, soltanto: "la signorina X . . . . ". *Se il padre dello sposo è carico di lauree e di onorificenze, mentre quello della sposa non è nemmeno ragioniere o cavaliere*, scrupoli di tatto e di reciproco equilibrio suggeriranno al primo di sacrificarsi al secondo: nessun titolo professionale o onorifico precederà il suo nome sulla partecipazione. I titoli nobiliari o di carriera (colonnello, ammiraglio, ecc.), invece verranno comunque stampati.

Ecco un esempio classico di partecipazione corretta:

L'avv. ALDO BINI e la Signora DELIA BINI ROSSI partecipano il matrimonio della figlia PAOLA
con il
Dott. ANTONIO BIANCHI

Il Prof. LEO BIANCHI e la Signora PIA BIANCHI GINESI partecipano il matrimonio del figlio ANTONIO
con la
Signorina PAOLA BINI

Milano, 20 Maggio 1960

La Cerimonia nuziale verrà celebrata
nella Chiesa di S. Bartolomeo alle ore 11,30

Piazzale Fiume, 9

Via Bigli, 3 — *Via Brera, 5*

Se il padre della sposa è morto, l'annuncio viene fatto dalla vedova (e viceversa):

"GIOVANNA BELLINI ROSSI partecipa il matrimonio ecc..."

Se la madre di uno degli sposi è vedova e maritata per la seconda volta, nella partecipazione apparirà col cognome del secondo marito seguito dal suo cognome di ragazza. La figlia invece apparirà con il cognome del padre. Esempio:

sulla facciata sinistra:

COSTANZA FREDDI (*cognome del secondo marito*)
BIANCHI (*cognome da ragazza, tutto su una riga*)
partecipa il matrimonio di sua figlia PIERA con il Dott. GINO MARI

sulla facciata destra:

L'Ing. FRANCO MARI e ADELE MARI NARDI
partecipano il matrimonio del loro figlio GINO
con la signorina PIERA SANTUCCI (*cognome del padre defunto*).

Se il secondo marito di una vedova ha adottato la figlia di questa, potranno partecipare insieme il matrimonio; la ragazza in questo caso, apparirà nelle partecipazioni con il cognome del padre adottivo aggiunto a quello del vero padre. Ecco per maggior chiarezza un esempio:

"L'avv. MARIO DUCCI e donna ZENAIDE DUCCI
dei conti DELLA PORTA
partecipano il matrimonio della loro figlia Anna Maria
con l'ing. PIERO ZENI."

e sull'altra facciata:

"Il prof. LUIGI ZENI e CARLA ZENI VERDE
partecipano il matrimonio del loro figlio Piero
con la sig.na ANNA MARIA PEREZ (*nome del padre vero*) DUCCI."

Se i genitori si sono separati amichevolmente ritengo consigliabile (contrariamente al parere di chi sostiene che l'annuncio debba essere fatto soltanto dal genitore cui è stato legalmente affidato il figlio o la figlia) che siano ambedue a partecipare il matrimonio. Gli sposi ne saranno felici e, così facendo, si dimostrerà a tutti che l'amore paterno e materno sanno mettersi al disopra dei risentimenti personali.

In questo caso, ecco come verrà redatta la partecipazione:

"RENATO TELLINI
ed EVELINA COLLI (*nome da ragazza della madre, tutto su una riga*)
partecipano il matrimonio della loro figlia Viviana con ecc."

Se, per esempio, la figlia è stata affidata dal Tribunale al padre, il quale è contrario a questa soluzione e se, d'altra parte, la madre non si rassegna ad essere estromessa dalla partecipazione, non rimane che una via, spiacevolissima: l'annuncio fatto direttamente dagli sposi.

Se la sposa è orfana, la partecipazione viene fatta dal parente più prossimo. Una donna può partecipare il matrimonio della sorella minore, mai quello del fratello. In mancanza di parenti si può ricorrere al padrino o alla madrina.

Se lo sposo è orfano, annuncia personalmente il matrimonio.

Se gli sposi partecipano, l'uno e l'altro, direttamente il matrimonio si regolano così: sulla facciata sinistra, nome e cognome dello sposo; su quella destra, nome e cognome della sposa; in mezzo, a cavallo delle due facciate: "annunciano (o partecipano) il loro matrimonio". Segue la data, e l'indirizzo. Per esempio:

CARLO CRIVELLI — ANNA MARIA BENZI

annunciano il loro matrimonio

La cerimonia avrà luogo il... (*data*)

nella Chiesa di...

(Indirizzo dello sposo) — *(Indirizzo della sposa)*

(Indirizzo degli sposi)

A una famiglia colpita da un lutto recente si può mandare la partecipazione, senza l'invito al rinfresco. Ma se si è in rapporti di amicizia l'avvenimento potrà essere annunciato con un biglietto press'a poco così: "*Cara Maria, la mia Giovanna si sposerà il 10 giugno con Carlo Zanetti. Non voglio che tu sappia da altri questa notizia, e nel partecipartela aggiungo che quel giorno tu ci mancherai molto...*".

Regali di nozze

I regali devono essere mandati poco prima del matrimonio, generalmente appena ricevuta la partecipazione di nozze. Man mano che riceve un dono, la fidanzata segnerà su un apposito taccuino nome e cognome del donatore, regalo ricevuto, data di consegna: a ogni persona che ha fatto un regalo spetterà la bomboniera con i confetti.

È in uso ormai anche da noi, piaccia o non piaccia, il sistema delle "liste" per quegli sposi che contano numerosi amici: i fidanzati si recano in uno o più negozi di articoli da regalo e scelgono gli oggetti che desiderano ricevere. Agli amici che s'informano si indicano questi negozi dove nel frattempo saranno state "aperte le liste" delle quote. Generalmente se ne aprono due: una da cinquemila e una da diecimila lire. Ma possono esserne aperte per una quota inferiore o maggiore. Gli amici decidono per questa o per quella lista, mettendo la loro firma sul relativo foglio. Raggiunto il prezzo dell'oggetto, il negoziante chiude la lista e invia il regalo insieme al foglio delle firme al domicilio della sposa. I firmatari saranno ringraziati uno per uno.

Senza ricorrere alle liste, due o più persone possono mettersi d'accordo fra loro per un regalo di valore. Parenti e amici intimi possono offrire degli assegni se si sentono a corto di idee. I regali devono essere accompagnati da un biglietto da visita e, come si è detto, inviati alla sposa, a meno che il donatore non conoscendola affatto tenga a fare un regalo di uso personale allo sposo. Non appena il regalo arriva, i fidanzati ringraziano con una telefonata o con un cartoncino, a seconda dei rapporti. Potrà scrivere lei a nome di tutti e due. La gratitudine non va dosata a seconda dell'importanza del regalo: spesso, una modesta "napoletana" di ottone rappresenta per chi l'ha comprata un sacrificio maggiore di quanto possa rappresentare un intero servizio da tavola offerto da qualche amico miliardario. L'immancabile regalo "brutto" verrà accolto stoicamente e, prima di chiuderlo in soffitta, sarà esposto insieme agli altri il giorno delle nozze.

Tutti i doni verranno raggruppati in una stanza, e ad ognuno si attaccherà un cartellino col nome del donatore.

Il giorno delle nozze i regali saranno esposti in uno o più salotti, su lunghe tavole ricoperte di velluto o di raso. È ovvio che queste esposizioni sono sconsigliabili se i regali sono pochi o modesti. Se fra i regali ci sono molti gioielli, questi vengono esposti in una vetrina preparata con un fondo di raso o velluto.

La dote

La dote può esser costituita da un capitale interamente versato il giorno del matrimonio oppure da una rendita annuale. Ma spesso le ragazze di oggi si sposano senza dote e, grazie a Dio, non se ne sentono menomate.

Corredo

A chi tocca provvedere al corredo di casa? Davanti a questo interrogativo, i sorrisi reciproci delle consuocere si raggelano.

« Veramente », si affretta a dire la mamma di lei, « dalle nostre parti è consuetudine che al corredo di casa pensi lo sposo... » « Da noi invece », ribatte la mamma di lui, « al corredo di casa pensa sempre la famiglia della sposa. » E a questo punto il dialogo si fa spinosissimo, spesso con deplorevoli conseguenze per i rapporti tra le due famiglie.

Come regola, l'acquisto del corredo di casa spetta alla famiglia della sposa mentre allo sposo spetta l'ammobiliamento e naturalmente l'affitto o l'acquisto dell'appartamento. Tuttavia gli usi variano da una provincia all'altra. In certe provincie, per esempio, è la sposa che provvede alla camera da letto o al letto matrimoniale.

A me sembra che in queste decisioni sia opportuno attenersi non tanto alle consuetudini tramandate da persone che vivevano in epoche ben diverse dalla nostra, quanto alla reciproca convenienza. Non si pretenderà che una ragazza di modeste condizioni porti, oltre al corredo personale, anche quello di casa, se la famiglia di lui può provvedervi senza sacrificio. E se il padre della sposa offre un appartamento di sua proprietà, la madre dello sposo potrà provvedere lei al corredo di casa.

Lista di corredo di casa

Chiameremo *A* il corredo che riteniamo minimo per una coppia di sposi che tenga a un certo decoro e voglia avere a disposizione un numero di capi sufficiente per una regolare rotazione di uso.

Chiameremo *B* la dotazione per una famiglia più numerosa, o anche un corredo più abbondante, che costituirà una maggiore spesa iniziale, ma libererà almeno per qualche anno gli sposi dal pensiero di nuovi acquisti.

Chiameremo *C* un corredo ricco, un po' all'antica, o la dotazione per una numerosa famiglia.

Le misure date sono quelle normali: qualche modifica potrà essere necessaria, specialmente nel tovagliato, a seconda della tavola da pranzo (tonda, ovale, rettangolare).

Articoli	Misure	Quantità		
PER LETTO MATRIMONIALE:		A	B	C
paia lenzuola di lino	2,40×2,90 o ×3,00	2	6	12
paia lenzuola di misto lino	2,40×2,90 o ×3,00	4	6	6
traverse di misto lino	0,80×2,50	2	4	6
federe di lino	0,85×0,50	4	12	24
federe di misto lino	0,85×0,50	8	12	12
sovraccoperte di misto lino	2,80×3,00	2	3	4
coperte di lana		2	3	4
imbottite di piuma o lana o cotone	2,20×2,45	1	1	2
PER LETTO SINGOLO:		A	B	C
paia lenzuola di misto lino	1,80×2,90	4	6	12
traverse di misto lino	0,80×1,70	2	4	6
federe di lino	0,85×0,50	4	8	16
federe di misto lino	0,85×0,50	2	4	6
coperte di lana	1,80×2,20	2	4	6
plaid di lana	1,60×1,90	1	2	3
imbottite	1,40×2,20	1	1	2
PER IL BAGNO:		A	B	C
asciugamani di lino	0,60×1,10	—	12	18
asciugamani di misto lino	0,60×1,00	12	12	12
asciugamani di spugna	0,60×0,40	6	12	12
asciugamani di lino (ospiti)	0,40×0,60	6	12	24
lenzuola bagno, di misto lino o di spugna	1,20×1,50	4	6	12
tappetini bagno	0,50×0,70	2	6	8

PER LA CUCINA:			A	B	C
asciugamani di misto lino	0,60×0,80		4	6	12
asciugabicchieri di lino	0,60×0,80		4	12	18
asciugapiatti di misto lino	0,60×0,80		6	12	18
asciugapentole di canapa	0,60×0,80		6	12	18
strofinacci per cucina	0,60×0,60		6	6	12
strofinacci da polvere	0,40×0,80		6	12	12
strofinacci per pavimenti, di cotone o di lana	0,80×0,80		6	6	12

PER LA TAVOLA:					
servizi per 6 bianchi di lino	1,50×1,60	(A)	1	2	4
oppure	1,40×1,70				
servizi per 6 colorati di misto lino	1,50×1,50		2	4	4
oppure	1,40×1,70				
servizi per 12 di lino damascati o ricamati	1,40×2,40		–	1	2
servizi per 12 colorati di misto lino	1,40×2,40		–	1	4
servizi per carrello di lino	0,40×0,70		2	4	6
tovagliette da tè di lino	110×110	(B)	1	1	2
tovagliette da tè di misto lino	110×110		1	2	2

(B) misure per tovaglioli 0,45×0,45
(A) misure dei tovaglioli 0,15×0,15

PIATTI:

12 piatti piani
6 o 12 piatti fondi
6 o 12 piatti piccoli da formaggio e frutta
6 o 12 tazze da brodo con sottotazza
4 piatti da portata
6 o 12 tazze da tè con sottotazze
6 o 12 piattini da dolci
6 o 12 tazze da caffelatte (ma quelle da tè possono eventualmente sostituirle) con sottotazze

6 o 12 tazzine da caffè con sottotazze
1 o 2 caffettiere
1 o 2 teiere
1 o 2 bricchi da acqua calda
1 o 2 lattiere
1 o 2 zuccheriere
1 o 2 insalatiere
1 o 2 fruttiere
1 o 2 portalegumi
1 o 2 salsiere
1 o 2 formaggiere
1 o 2 piattini da burro
1 o 2 portamarmellata

CRISTALLERIA:

6 o 12 bicchieri da acqua
6 o 12 bicchieri da vino (bianco e rosso)
6 o 12 bicchieri da aperitivo e liquori
6 o 12 bicchieri da cognac
6 o 12 bicchieri da champagne
6 o 12 bicchieri da spremute, bibite e whisky
6 o 12 coppette lavadita
1 o 2 bottiglie per vino
1 o 2 caraffe
1 o 2 secchielli portaghiaccio
1 o 2 bicchieri per servire l'aperitivo ghiacciato

ARGENTERIA:

6 o 12 cucchiai da minestra
12 forchette
6 o 12 coltelli
6 o 12 forchette da pesce
6 o 12 coltelli da pesce
6 o 12 cucchiai da dessert
6 o 12 forchette da dessert e frutta

6 o 12 coltelli da frutta e formaggio
6 o 12 cucchiai da caffelatte
6 o 12 cucchiaini da caffè
2 o 4 forchette grosse per piatti da portata
1 o 2 coltello grande per tagliare il dolce
1 o 2 pala per servire il dolce
2 posate da insalata
1 o 2 coltelli e forchette da portata, per pesce.

Cifre

Il corredo di casa può essere cifrato con tre iniziali; quelle dei nomi degli sposi e quella del cognome dello sposo. Per esempio, *Guido e Maria Rossi* cifreranno così la loro biancheria di casa: *G. M. R.* Si possono anche far ricamare le sole iniziali dei due cognomi. Comunque, consiglio la scelta di caratteri possibilmente artistici, anche se non perfettamente leggibili.

Corredo personale della sposa

Nel comporre il corredo, la sposa previdente (e costretta a far le cose con una certa economia) non dimentica che dopo pochi mesi dalle nozze potrebbe esserci un bambino per strada. In tal caso il tailleur stretto e la princesse attillata, sarebbero del tutto sprecati.

Un corredo ragionevole dovrebbe dunque comporsi (oltre che della biancheria) di quei pezzi "base" che non sono troppo soggetti ai cambiamenti della moda: *pelliccia; mantelli sportivi, da giorno e da sera; borsette, scarpe, guanti, calze.*

La biancheria di nailon ha definitivamente soppiantato quella più delicata e costosa di seta pura. Inutile comprarne in sovrabbondanza: ormai, anche le camicie da notte e le sottovesti seguono la moda come i vestiti. Una base di sei, delle une e delle altre, mi sembra ragionevole. In più:

6 reggiseni
12 paia di mutandine
1 veste da camera di lana
1 veste da camera estiva
1 giacchetta da letto (liseuse) di seta o lana leggera
24 fazzoletti normali
6 o 12 fazzolettini eleganti
calze e "collants" a volontà
2 o 3 bustini elastici.

Corredo dello sposo

Il guardaroba di uno sposo che preveda obblighi mondani comprenderà, oltre agli abiti di uso quotidiano e sportivo, lo *smoking* (*dinner coat*, o *dinner jacket*, in inglese). Lo *smoking* è un abito nero con risvolti generalmente "a scialle", di raso o faglia. D'estate, la giacca da *smoking* è di shantung bianco o di leggera flanella bianca. Con lo *smoking* si porta la cravatta a farfalla nera. I pantaloni sono senza risvolti, e hanno sui lati esterni una stretta banda di passamaneria. La camicia di seta bianca ha spodestato a poco a poco quella a sparato inamidato; la si porta con colletto e polsini morbidi. *Gilet* oppure cintura alta di raso o *faille*, come la cravatta. La camicia di batista col davanti pieghettato può essere molto elegante, sebbene meno classica. Lo *smoking* viene indossato ai pranzi, alle serate di media importanza e ogni qualvolta si legge sul cartoncino d'invito: "cravatta nera". Calzini di seta nera, scarpe di vernice (ma quelle *Oxford*, opache, oggi sono ammesse) cappello duro o floscio (purché nero), guanti di camoscio grigio.

Il *tight* (pronunciare "tait"). Si compone di una giacca nera o grigio antracite: *gilet* uguale o grigio perla, o bianco (per matrimoni estivi). Calzoni senza risvolto a righe grige e nere. Camicia con colletto duro (le punte spezzate vanno scomparendo insieme con la cravatta a *plastron*). Cravatta grigio argento a nodo lungo, per ricevimento e cerimonie comuni, nera per i funerali. Scarpe nere *Oxford*, calze nere o antracite. Cilindro e guanti grigi.

Il frac o marsina (*habit* in francese, *full dresse* o *tailcoat* in inglese), è nero con i risvolti di raso. La lunghezza delle code varia secondo la moda; oggi per esempio sono molto più corte di una volta. I calzoni hanna una striscia laterale più pronunciata di quella dei pantaloni da *smoking*. Anche il *gilet* bianco varia leggermente secondo la moda: ora a risvolti, ora semplice, ora a un petto, ora a due (ma qualsiasi sarto di buon nome saprà sempre dare il consiglio più opportuno). Camicia di batista con petto inamidato, colletto rigido a punte spezzate, polsini duri. Cravatta bianca di picchè. Scarpe e calze come per lo *smoking*. Cappello a cilindro. I guanti e la sciarpa di seta bianca oggi non sono più obbligatori. Un garofano bianco all'occhiello è il tocco finale che completa il frac, ma naturalmente il fiore è abolito se si ha una decorazione all'occhiello.

Spese di nozze

Alla famiglia della sposa spettano le seguenti spese:

1) *Corredo personale*
2) *Corredo di casa*
3) *Un regalo allo sposo in cambio dell'anello di fidanzamento (facoltativo)*
4) *Partecipazioni di nozze*
5) *Bomboniere*
6) *Rinfresco di nozze*
7) *Fiori, addobbo della chiesa, organista e coro*
8) *Automobili per accompagnare i testimoni in chiesa e poi dalla chiesa al luogo del rinfresco. Automobile degli sposi dalla chiesa al luogo del rinfresco. (Ci si preoccuperà che nessuno degli invitati al rinfresco resti appiedato dopo la cerimonia nuziale)*
9) *Fotografie*
10) *Fiori e regali-ricordo alle damigelle d'onore.*

Allo sposo spettano le seguenti spese:

1) *L'anello di fidanzamento*
2) *I due anelli nuziali (fedi)*

3) *L'automobile con la quale si recherà in chiesa*
4) *I fiori bianchi per la sposa*
5) *I fiori per l'occhiello della giacca dei testimoni*
6) *Un'offerta alla chiesa, adeguata al tono della cerimonia, da consegnarsi in busta chiusa al sacerdote*
7) *Un dono al sacerdote che ha celebrato le nozze (potrà offrirlo insieme alla sposa)*
8) *Le spese del viaggio di nozze*
9) *L'affitto o l'acquisto dell'appartamento*
10) *L'arredamento della casa.*

Documenti

Chi vuole contrarre il matrimonio *religioso* (che ha anche effetti civili) si rivolge alla propria Parrocchia per tutte le informazioni relative alle pratiche e ai documenti necessari. Chi vuol sposarsi solo *civilmente* si rivolge all'Ufficio Matrimoni del Comune.

I documenti necessari per il matrimonio sono: *il certificato di Battesimo, il certificato della Cresima, il certificato di stato libero ecclesiastico, la copia integrale dell'atto di nascita, il certificato di stato libero civile, il certificato di cittadinanza italiana, il certificato di residenza. Indispensabile per lo sposo il foglio di congedo militare.*

Le pubblicazioni devono restare esposte per due domeniche consecutive.

Dispense

La Chiesa proibisce la celebrazione del matrimonio nei giorni che vanno dalla prima domenica dell'Avvento all'indomani del Natale e dal mercoledì delle Ceneri fino a Pasqua.

Se per qualche motivo il matrimonio dev'essere celebrato in uno di questi periodi, si chiede una dispensa all'*Arcivescovado.* La dispensa è necessaria anche quando uno degli sposi non è di religione cattolica, o se vi sono tra loro legami di parentela.

L'ora migliore per sposarsi

Il matrimonio può essere celebrato anche nelle prime ore del mattino, ma l'ora migliore è mezzogiorno, o le undici e mezzo. Uscendo di chiesa, si passa direttamente al rinfresco, il quale coincide con l'ora di colazione. In Toscana, e in qualche altra regione, i matrimoni si celebrano anche di pomeriggio.

Il sacerdote

Se il sacerdote che dovrà celebrare le nozze proviene da un'altra città, ed è un parente o un amico di famiglia, potrà essere ospitato in casa della sposa (o dello sposo). Altrimenti gli si fisserà una stanza in un buon albergo (non troppo mondano) e si avvertirà la Direzione che ci si astenga dal dargli il conto, che verrà pagato dalla famiglia della sposa.

Ai pasti il sacerdote occupa il posto d'onore. Al momento del commiato gli si darà un regalo e un'offerta per i suoi poveri.

Se celebra il matrimonio un Vescovo, sulle partecipazioni si potrà precisare che:

> *"La Benedizione Nuziale verrà impartita agli sposi,*
> *da Monsignor X.... Vescovo di.... ecc."*

Se si desidera che il sacerdote pronunci un discorso, si faciliterà il suo compito dandogli in precedenza tutte le informazioni utili che riguardano le famiglie degli sposi. Si eviterà così ch'egli possa cadere in incresciosi equivoci come accadde al Vescovo che celebrò uno dei matrimoni più sfarzosi del dopoguerra; mal informato sulle due famiglie, le quali gareggiavano, è vero, in antenati illustri ma, ahimè, anche in scandali d'ogni genere, il Prelato esortò lungamente la coppia a continuare le tradizioni dei padri e a dimostrarsene degni; in quale atmosfera di imbarazzo generale lo si può immaginare.

Nozze in sordina

Le nozze si celebrano nell'intimità:

1) *se uno degli sposi non è al suo primo matrimonio;*

2) *se c'è un lutto recente in famiglia;*

3) *se i genitori disapprovano il matrimonio o non assistono alla cerimonia (soprattutto se si tratta dei genitori della sposa);*

4) *se gli sposi sono anziani.*

Stabilita la data delle nozze, si provvede alle partecipazioni, ai testimoni, alle bomboniere.

Inviti al rinfresco

Alle persone che si vogliono invitare al rinfresco dopo la cerimonia, si manda, inserito nella partecipazione, un cartoncino stampato. Si badi a non dimenticare nessuno, e a non creare confusioni: anni fa, a Roma, un neo-miliardario fidanzò la figlia a un Marchese e decise, naturalmente, di fare le cose in grande stile riunendo al rinfresco i più bei nomi della capitale. Pronte le partecipazioni, pronti gli indirizzi, il fratello quindicenne della sposa ebbe l'incarico di inserire duecento cartoncini d'invito nelle buste selezionate, messe accuratamente da parte, in modo da non confonderle con le altre. Fosse distrazione, o diabolica ispirazione, il ragazzo fece tutto a rovescio: i cartoncini d'invito finirono nelle buste degli esclusi. Il gran giorno, quando le sale della villa si aprirono per ricevere il fior fiore della Capitale, uno stuolo fracassone e gioviale di lontani parenti e di ex-colleghi del padrone di casa irruppe, precipitandosi al buffet, e lasciandosi dietro gli sposi costernati, i genitori inviperiti, i consuoceri allibiti.

Ecco alcuni esempi di cartoncini d'invito:

"Gli SPOSI saranno lieti di salutare gli amici
subito dopo la cerimonia al Grand Hôtel."

Oppure, se gli sposi partecipano le nozze in nome proprio e hanno già una casa pronta:

"Gli SPOSI saranno lieti di salutare gli amici
a casa loro, via Latina, 76, dopo la cerimonia."

O ancora, se si tratta di una colazione "seduta" in casa della sposa e si desidera sapere con esattezza il numero delle persone da sistemare:

GIULIO e MARIA FERRETTI (genitori della sposa)
pregano (spazio riservato al nome dell'invitato)
di voler intervenire alla colazione che offriranno dopo la cerimonia
per festeggiare gli sposi.
Via Giulia 103 *S.P.R.*

Chi riceve uno di questi cartoncini è tenuto a rispondere con un biglietto, sia che accetti o non accetti, sia che il cartoncino abbia o non abbia nell'angolo le tre lettere che vogliono dire "Si prega rispondere" (alcuni preferiscono le iniziali R.S.V.P., che corrispondono alla frase francese "Reponse s'il vous plaît". Si può anche scrivere "P.C.R.", cioè: per cortesia, rispondere). *Chi non riceve, inserito nella partecipazione, il biglietto d'invito al rinfresco, si astiene dal presentarcisi.*

Alle partecipazioni di nozze si risponde almeno con un telegramma di auguri, la vigilia della cerimonia.

L'invito al rinfresco può essere limitato a pochi intimi se, alcuni giorni prima, è stato offerto dalla famiglia della sposa un ricevimento agli amici: *cocktail* o *ballo*.

Può accadere che la famiglia dello sposo sia in condizioni molto più agiate di quella della sposa e che questa non sia in grado di offrire un ricevimento di nozze come si vorrebbe; i genitori dello sposo, in questo caso, possono proporre di assumersi le spese del rinfresco, che avverrà in un buon albergo. Saranno gli sposi ad accogliere nel salone gli amici: le consuocere, leggermente in disparte, distribuiranno sorrisi e strette di mano, senza che l'una cerchi di prevalere sull'altra. Se lo sposo possiede una villa o qualche tenuta, si potrà, col pretesto di un matrimonio in campagna, scaricare egualmente di tutte le spese la famiglia della sposa.

Indirizzi sulle buste

Orribile un indirizzo redatto così: "Avvocato Bianchi e Consorte". Si scriverà piuttosto: "*Avvocato e Signora Bianchi*", oppure "*Carlo e Maria Bianchi*". Ugualmente brutto scrivere: "Avvocato Bianchi e Famiglia". "Famiglia Bianchi" qualche volta è insostituibile, ma preferiamogli, appena possibile: "*Signori Bianchi*", oppure due partecipazioni, una al "*Signor e Signora Bianchi*" (marito e moglie) e l'altra ai figli Bianchi. Quest'ultima sarà indirizzata, per esempio, così: "*Mariolino e Lisetta Bianchi*".

CAPITOLO VII

MATRIMONIO

Testimoni di matrimonio

I testimoni di matrimonio sono generalmente quattro, due per ognuno degli sposi, ma possono essere due soli. Raramente si tratta di donne. Vengono scelti tra i migliori amici degli sposi, i parenti influenti, qualche personaggio che occupa una posizione eminente. Testimonio di un ufficiale sarà il suo superiore di grado. Testimonio di un giovane medico sarà il professore di cui egli è assistente. Dai testimoni ci si aspetta dei regali importanti: perciò, prima di proporre a qualcuno tale funzione, bisogna essere sicuri di fargli cosa gradita.

Il "compare d'anello" fa parte di tradizioni locali e non rientra nelle norme dell'etichetta usuale. Comunque, nel Sud Italia la sua presenza è spesso indispensabile: offre l'anello alla sposa e deve, talvolta, addossarsi le spese della cerimonia, le mance, ecc.

Damigelle e paggetti

Le damigelle d'onore (due, quattro, o anche sei) compaiono solo nei grandi matrimoni. Devono essere vestite in modo identico. A volte gli abiti sono in tinte diverse, ma sempre intonate tra loro. Se la sposa è sicura che le damigelle possano sostenere la spesa del vestito senza sacrificio, si limita a regalare ad ognuna, come è suo obbligo, la borsetta, i guanti, i *bouquets*. Altrimenti, offre lei la *toilette* completa o, per lo meno, i tagli di stoffa. Il modello, il tessuto, il colore verranno decisi non da lei sola, ma da tutte insieme, e si spera che queste discussioni non degenerino in baruffe e che non si debba vedere, il giorno delle nozze, la sposa seguita dalle damigelle immusonite. Comunque vadano le cose, le damigelle non dimenticheranno mai che il loro compito è quello di far da sfondo alla sposa. Dovranno accontentarsi di brillare in sordina senza volgere intorno, durante la cerimonia, sguardi da prime donne; loro sono soltanto le "quattro *girls* quattro". A una di esse toccherà il cómpito preciso di tener d'occhio il velo della sposa, quando questa si inginocchia da-

vanti all'altare, quando si alza, quando si accinge, a cerimonia finita, ad aprire il corteo d'uscita. Un'altra sorveglierà i paggetti: se la cerimonia è lunga, meglio farli uscire dalla chiesa e lasciarli ad aspettare sul sagrato sorvegliati dalla governante. Li si faranno rientrare in punta di piedi un po' prima della fine.

Se il paggetto accompagna una bambina, i loro vestiti si intoneranno, non solo come tinta ma anche come stile. A loro dovrebbe spettare il cómpito di reggere lo strascico della sposa, ma disastrosi esempi lo sconsigliano. Ho visto un paggetto spaventarsi agli improvvisi accordi dell'organo, fare un voltafaccia e scappare verso l'uscita trascinando con sé il velo e il diadema della sposa. Più prudente, tutto sommato, affidare ai paggetti un mazzolino di mughetti.

Il vestito lungo

Se il matrimonio viene celebrato con solennità, se lo sposo, i padri, i fratelli, i testimoni acconsentono a mettersi in *tight* (tait), la sposa può indossare l'abito lungo, lo strascico e il velo. Sceglierà un modello di linea attuale, ispirandosi ai vestiti da sera. Una sposa di forme procaci preferirà la linea dritta o morbida a quella fasciata.

I tacchi saranno alti, ma non tanto da far scomparire lo sposo, o peggio, da obbligarlo a ricorrere a suole ortopediche, sulle quali tutti punteranno gli sguardi quando sarà inginocchiato davanti all'altare.

Se la sposa è miope, faccia come certe attrici: provi e riprovi la "scena" (nel suo caso, il tragitto fra portale e altare) prima del gran giorno, in modo da poter fare a meno delle lenti.

Una sposa aureolata di veli NON PUÒ, assolutamente, presentarsi con gli occhiali.

Accessori

Gli accessori della sposa sono: guanti *glacés* o di antilope finissima (a cuciture interne) lunghi o semilunghi (con certi modelli estivi anche i corti sono ammessi).

Scarpette della stessa sfumatura bianca del vestito. Niente borsetta (il fazzolettino di batista e pizzo può essere dissimulato nell'apertura del guanto) e, in sua vece, il classico *bouquet* di nozze, che lo sposo le avrà fatto recapitare la mattina di buon'ora.

La sposa non porta gioielli. Le unghie non debbono essere laccate di rosso, ma possono esserlo di rosa pallido. Meglio ancora lasciarle al naturale. Alle acconciature sontuose sono preferibili quelle modeste, più adatte a incorniciare il viso di una giovane sposa.

Il *maquillage* deve essere discretissimo e soprattutto, se la sposa è facilmente emozionabile ed ha le lacrime facili, si rinuncerà, a scanso di disastri, al rimmel.

Vestito corto da sposa

Se il matrimonio ha un tono "di mezzo" e lo sposo, spalleggiato dall'elemento maschile delle due famiglie, rifiuta categoricamente il *tight*, la sposa ripiega su un abito corto. Anche il velo si accorcerà fino alle spalle. Avrà, insomma, un abito meno spettacolare, ma facilmente più elegante e disinvolto. In testa, un'acconciatura elegante, ispirata a un modello da *cocktail*.

Lo sposo in tight

Il *tight* è obbligatorio per lo sposo, quando le famiglie appartengono a un ambiente agiato e si vuol dare alla cerimonia un tono formale. Il *frac* è quasi del tutto scomparso. Appare solo nei matrimoni in grande, di tono ufficiale. Quanto allo *smoking*, spero sia inutile ricordare che di giorno il suo posto è sempre nell'armadio. Se lo sposo è un ufficiale, indossa l'uniforme.

Col *tight* lo sposo porta il cilindro e guanti di camoscio grigio chiaro. L'uno e gli altri, in mano. Durante la cerimonia li depone accanto a sé, di fianco all'inginocchiatoio. Avrà una cravatta grigio perla o – più raramente – il classico "plastron" che esige, non lo si dimentichi, il collo duro ad angoli piegati. All'occhiello, un garofano bianco, simbolo di fedeltà.

Scartato il *tight*, resta l'abito grigio ferro con i pantaloni senza risvolto, oppure il classico completo blu o grigio scuro. La cravatta grigio argento. Le scarpe di vitello nero opaco. I calzini neri. I guanti grigio chiaro, scamosciati. Di innovazione recente, la giacca nera accompagnata dai calzoni a righe da *tight*, camicia di seta bianca con collo normale, cravatta grigia. Per un matrimonio estivo lo sposo può vestire in tela di seta chiara o addirittura in bianco.

Se il matrimonio è soltanto civile, la sposa veste da pomeriggio elegante, ma preferibilmente in chiaro: *princesse* e mantello intonato.

Le spose non più freschissime, le vedove, le "annullate", non si adornano di fiori d'arancio, rinunciano al velo, evitano il bianco. In mano, possono portare un *bouquet* di gardenie.

Ripeto: *padri, testimoni, Scorta d'onore, vestono tutti come lo spo-*

so. Eventualmente anche i fratelli. Nei matrimoni di altissimo tono, anche gli invitati si presentano in *tight*. Le madri degli sposi, in questo caso, vestono in lungo e sfoggiano cappelli importanti. Altrimenti, abiti da pomeriggio, maniche tre quarti, guanti al gomito, cappelli eleganti.

Se c'è un lutto in famiglia, per quel giorno lo si dovrà dimenticare: meglio non intervenire a un matrimonio, che apparirvi in gramaglie, spiccando tra gli invitati come spiccherebbe una cornacchia tra i piccioni di piazza San Marco. Si potrà scegliere un modello semplice, un tessuto sobrio (grigio chiaro, mauve) un *imprimé* bianco e nero, e completare l'insieme con accessori neri. Il cappello potrà essere della stessa tinta del vestito, o nero, o bianco e nero.

Matrimonio in tono minore

La spesa di un *tight* può sembrare giustamente troppo gravosa e perfino assurda a chi è abituato a un tenore di vita modesto e sa che, tolta quell'occasione, non ne avrà altre di indossare la giacca a code. Dovrà la sposa, in questo caso, rinunciare all'abito lungo sognato fin dall'infanzia? Dovrà, se è piccola e grassottella, adattarsi a un vestito bianco sì, ma corto, che la ingofferebbe e dispiacerebbe certamente a sua madre? Il galateo ha regole inflessibili solo per chi pretende a un certo "tono", e solo per chi ha i mezzi di poterle seguire. Per tutti gli altri (e si tratta della maggioranza) il galateo chiude indulgentemente un occhio: la sposina modesta vesta dunque l'abito lungo dei suoi sogni e abbia pure un velo; e lo sposo l'accompagni senza complessi nel suo solito doppio petto blu. Non sarà forse inutile, del resto, ricordare che si possono affittare senza arrossire, dei *tights* di buon taglio presso ditte specializzate.

Prova generale

Soltanto per le nozze di tocco importantissimo ha luogo a volte la prova generale in chiesa, alcuni giorni prima della cerimonia.

L'organista esegue diverse arie: quasi sempre la "Marcia Nuziale" del Lohengrin di Wagner o quella di Mendelssohn, e brani di Bach,

Haendel, Vivaldi, Frank; ma non si dimentichi che il repertorio di musica sacra adatta a una cerimonia nuziale è vastissimo.

Addobbatori e fiorai ricevono le ultime istruzioni: candelabri, drappeggi, tappeti, piante e fiori dovranno essere minuziosamente predisposti. In questi preparativi si distingue l'immancabile amico di famiglia che "sa tutto". Zelante, efficace, sbrigativo, assumerà il comando delle manovre.

In Inghilterra e in America, nella maggior parte delle cerimonie nuziali non mancano damigelle e "Scorta d'onore" dello sposo: si tratta di fratelli o cugini della coppia, oppure di giovani e brillanti amici, definiti per la circostanza *ushers*, che aprono il corteo nuziale, subito seguiti dalle damigelle e dagli sposi.

Da noi gli *ushers* non hanno una designazione speciale, ma nei matrimoni importanti sono utilissimi: accompagnano gli invitati ai loro posti via via che entrano in chiesa (*ai primissimi banchi di sinistra la famiglia della sposa, ai primissimi di destra la famiglia dello sposo*). Agli amici intimi, alle persone più di riguardo danno la precedenza sugli altri, badando bene di non offendere nessuno. Vestono il *tight* come lo sposo.

Teoricamente, il giorno che precede le nozze la fanciulla dovrebbe ritirarsi, come insegnano i manuali di galateo, in "dolce meditazione onde prepararsi al gran passo". In realtà, mille altri impegni la assorbono e l'atmosfera di quelle ultime ore non è fatta per predisporla al raccoglimento: campanelli che squillano, telefonate, tele-

grammi, regali, e soprattutto l'ultima prova dell'abito nuziale, che naturalmente sarà pieno di difetti. Ma si rassereni: l'indomani non ne rimarrà traccia.

Il gran giorno

Anche il gran giorno incomincia nell'agitazione. La casa della sposa (e probabilmente anche quella dello sposo) ricorda una nave scossa dalle sirene d'allarme. Raccomandazioni febbrili si incrociano al telefono, ma non sono "loro" a parlarsi: la tradizione vuole infatti che gli sposi non si vedano né si parlino prima dell'incontro in chiesa. Sono dunque le sorelle, i fratelli, le damigelle o i testimoni a trasmettere i messaggi dell'ultima ora. Lo sposo si è ricordato di ordinare il *bouquet* della sposa? Il testimonio ha ritirato gli anelli? Alla sposa son passati i crampi allo stomaco? L'ultima telefonata sarà per avvertire che lei è quasi pronta e che lui può avviarsi in macchina con la propria madre. Nel frattempo, familiari, damigelle, testimoni li hanno preceduti in chiesa, accomodandosi ai loro posti (ripetiamo: i parenti della sposa sull'ala sinistra, quelli dello sposo sull'ala destra).

La sposa arriva per l'ultima, accompagnata dal padre, o da chi ne fa le veci. Paggetti e damigelle aspettano sul sagrato: quelli la precederanno, queste la seguiranno (ma si può anche invertire l'ordine).

Se fa freddo

Se fa freddo, la sposa dovrà rassegnarsi... ad aver freddo (a meno che il suo vestito sia fatto di un tessuto misto lana e seta). Comunque, la stola di ermellino, o il semplice mantello, che l'ha protetta durante il tragitto dalla casa alla chiesa dovrà rimanere in macchina. Sua madre però, l'avrà prudentemente costretta a infilarsi sotto il vestito una calzamaglia completa, tipo sci, di lana leggera. Se il suo giro di vita ne risulterà impercettibilmente allargato, in compenso non avrà il naso rosso né rischierà di rispondere con uno starnuto alla rituale domanda del prete.

Suo padre sarà in *tight* come lo sposo, con cilindro, guanti chiari di camoscio, e un fiore bianco all'occhiello.

Matrimonio di pomeriggio

Il matrimonio di pomeriggio ha i suoi vantaggi: è meno impegnativo come organizzazione ed è spesso più gradito agli invitati. Dopo la Cerimonia che avviene generalmente verso le cinque o le sei, si offre un cocktail, naturalmente raffinato, e all'ora di pranzo tutto è finito.

Entrata in chiesa

Ormai è consuetudine che lo sposo preceda insieme a tutti i parenti, di un buon quarto d'ora, l'arrivo della sposa e l'attenda davanti all'altare. La sposa entra preceduta dai paggetti se ci sono anche le damigelle d'onore le quali invece la seguono perché ad una di esse (o a due) spetterà il compito di accomodarle il velo quando si inginocchierà accanto allo sposo.

Alla sposa spetta il braccio *destro* o quello *sinistro* del padre? Ambedue le soluzioni hanno i loro sostenitori e i loro detrattori, quindi sono ambedue... ammesse. Ma da quando i rotocalchi ci hanno mostrato il compitissimo Re Umberto accompagnare la figlia all'altare dandole il braccio *destro*, quest'ultima soluzione è generalmente la più seguita.

Uscita dalla chiesa

Terminata la cerimonia, lo sposo *dà il braccio destro* alla sposa e apre il corteo d'uscita. Seguono i paggetti e le damigelle, il padre di lei con la madre di lui, il padre di lui con la madre di lei. Li accompagnano le note festose della "Marcia Nuziale". Giunta sul sagrato, la coppia sosta per salutare gli amici (quelli che non interverranno al rinfresco). Ognuno avrà una frase gentile per la sposa, ma non ci si dilungherà troppo, né si esagererà con gli abbracci che le sgualcirebbero il velo e rischierebbero di lasciare inopportune tracce di rossetto. Non mancherà, probabilmente, la solita esclusa che, approfittando dell'euforia generale, mormorerà alla coppia: « Cattivi, vi siete dimenticati di invitarmi al rinfresco! ». Verrà naturalmente invitata, e tanto peggio per lei se poi si troverà relegata in fondo alla tavola, con i bambini.

I fotografi

I fotografi dovrebbero essere esclusi dall'interno della chiesa. Al matrimonio di due celebri attori, la loro impudenza batté ogni record: uno di essi, a metà funzione, scaturì addirittura di sotto lo strascico della sposa, s'arrampicò rapidamente su un piedistallo, rifugiandosi tra le braccia di un Arcangelo donde poté tranquillamente bombardare di "flashes" la coppia, tra i sobbalzi del Vescovo e gli applausi dei paggetti.

Rinfresco

Chi non può offrire il rinfresco in casa propria, ricorre a un buon albergo. Si avrà cura di verificare che il salone messo a disposizione dalla direzione non sia sproporzionato al numero degli invitati: né troppo piccolo, né troppo vasto. Si cercherà di ravvivare la banalità dell'ambiente con molti fiori, e magari di migliorare l'apparecchiatura della tavola o dei tavolini fornendo delle tovaglie di famiglia. Esistono tre tipi di rinfreschi nuziali:

1) *il* "buffet" *in piedi*
2) *la colazione a tavolini*
3) *la colazione a tavolo unico.*

Buffet in piedi

Il *buffet* in piedi è il più comune e il più facile, specie se ha luogo in un salone d'albergo. Il complicato problema dei posti viene eliminato, gli sposi passano da un invitato all'altro per raccogliere felicitazioni e complimenti. La madre della sposa, che non avrà avuto sulle spalle la responsabilità dell'organizzazione, affidata al *maître d'hôtel*, potrà godersi senza apprensioni l'apoteosi della figlia e il successo del ricevimento. Naturalmente, il momento più emozionante è quello in cui gli sposi tagliano la prima fetta della torta nuziale: gli amici alzeranno la coppa di *champagne*, brindando alla loro salute.

Ecco il *menu* di un *buffet* di nozze, fatto senza economie:

Consommé in tazza
Risotto coi tartufi
Aragosta
Pollo in chaud-froid
Filetto arrosto in gelatina
Insalata
Torta della sposa
Gelato, frutta (o coppe di macedonia con gelato)
Confetti
Vino bianco: Soave e Riesling
Vino rosso: Barolo, Barbera o Bordeaux
Champagne.

E ora un *menu* economico:

Agnolotti al ragù
Petti di pollo, roast-beef oppure
Filetti di sogliole in gelatina
Insalata russa
Torta della sposa
Macedonia di frutta
Confetti
Vino bianco: Soave o Capri
Vino rosso: Chianti
Spumante.

Colazione a tavolini

Se la colazione è "seduta", cioè a tavolini, a quello centrale presiederanno gli sposi con le damigelle d'onore e la scorta d'onore dello sposo: sarà insomma un tavolo di giovani. A un altro tavolo presiederà la madre della sposa che avrà alla sua destra il sacerdote e alla sinistra il padre dello sposo. Se il sacerdote non assiste al rinfresco, alla destra della madre della sposa siederà il padre dello sposo e alla sua sinistra il nonno del medesimo o uno dei testimoni. A un altro tavolo presiederà il padre della sposa che avrà alla sua destra la madre dello sposo, alla sua sinistra un'altra parente della sposa (probabilmente la nonna) ecc. I testimoni, comunque, saranno sistemati a questi due tavoli. Si può anche combinare un tavolo grande per i quattro genitori e i testimoni, alternati con invitate di riguardo.

Agli altri tavolini prenderanno posto gli amici e i parenti, logicamente disposti secondo l'età e i rapporti che intercorrono fra loro. I bambini dovranno sedere a un tavolo a parte, controllati da una persona adulta.

Colazione a tavolo unico

Per le colazioni a tavolo unico, si apparecchia spesso un tavolone a forma di ferro di cavallo. I commensali vengono sistemati lungo i lati esterni e gli sposi siedono al centro: lei alla destra di lui, con il suocero al fianco destro. Seguono: la madrina, o una nonna, poi il padre di lei, una parente, un testimonio, ecc. Via via che ci si allontana dal centro del tavolo gli invitati saranno meno importanti. Ultimi, i bambini.

Se assiste il sacerdote, siede alla destra della sposa, subito seguito dalla madre dello sposo, ecc.

Se il tavolo è rettangolare, su un lato siedono gli sposi, vicini, poi i testimoni alternati con le parenti o le invitate di riguardo. Di fronte, i quattro genitori alternati anche loro con parenti o invitati importanti.

È difficile, tutto sommato, stabilire con esattezza la disposizione dei posti, dato che quasi ogni famiglia rappresenta un caso a sé. E converrà piuttosto cercare di attenersi al buon senso, senza eccessive preoccupazioni, contando, almeno per quel giorno, sulla serena e comprensiva disposizione d'animo generale.

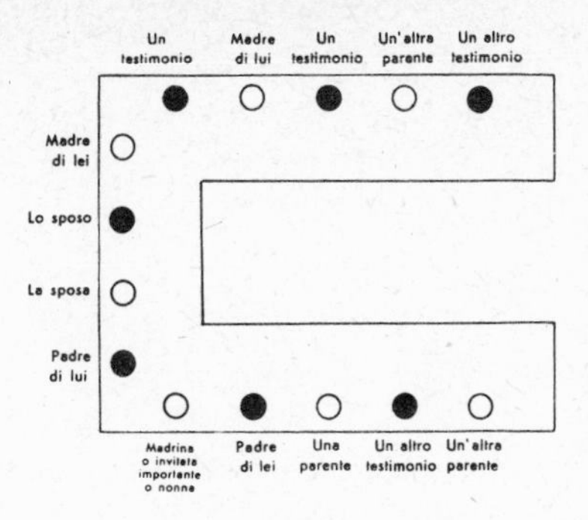

Torta nuziale

La torta nuziale viene portata a fine pasto e messa davanti agli sposi, a meno che non sia già stata disposta sulla tovaglia, come centro-tavola, al momento dell'apparecchiatura. Spetta allo sposo immergervi il coltello e la sposa termina almeno il taglio della prima fetta. Un cameriere può eventualmente tagliare le altre e servire gli ospiti. È questo il momento dello *champagne* e dei brindisi che sono, inutile ricordarlo, tanto più graditi quanto più brevi.

Prima di "sparire all'inglese" (l'accomiatarsi da tutti gli invitati è consigliabile solo se al rinfresco partecipano poche persone), la sposa offre a ciascuno i confetti che pesca con un cucchiaio in un cestino, o in un vassoio, sorretto da uno dei paggetti o dallo sposo stesso.

Partenza degli sposi

Se il rinfresco ha avuto luogo in albergo, gli sposi, dopo essersi eclissati dalla sala, si recano alle rispettive abitazioni per cambiarsi d'abito. Le loro valigie saranno già pronte, i biglietti ferroviari già acquistati, gli abiti da viaggio preparati in bell'ordine con tutti gli accessori accanto. È difficile che la madre della sposa si rassegni a un frettoloso commiato in pieno rinfresco. E quasi sempre, abbandona

più o meno furtivamente la sala anche lei, per accompagnare la figlia e aiutarla negli ultimi preparativi. Per evitare questa sparizione poco corretta nei riguardi degli invitati, consiglio una soluzione: quella di fissare nello stesso albergo dove ha luogo il ricevimento due stanze (non comunicanti) per gli sposi. Potranno cambiarsi con più calma, aiutati dalle rispettive cameriere, che avranno preparato tutto il necessario. E le madri verranno a salutarli per pochi minuti, senza mancare ai loro obblighi nei confronti degli invitati.

In questi preliminari del viaggio di nozze, il fratello, un cugino o il migliore amico dello sposo (spesso si tratta di uno dei testimoni) dovrà mettersi a sua disposizione per aiutarlo nei preparativi della partenza. Sarà lui che provvederà al ritiro dei bagagli, che accompagnerà la coppia alla stazione (dopo essersi accertato che lo sposo abbia i biglietti e i passaporti in tasca), che controllerà il numero dei bagagli e i posti prenotati, ben sapendo che, eccitati e distratti come sono, gli sposi, se abbandonati, potrebbero finire sull'accelerato di Rieti anziché sul rapido di Parigi, con due o tre valigie di meno.

Viaggio di nozze

E adesso può essere necessaria qualche raccomandazione: l'amore più sviscerato, la dedizione reciproca più assoluta non giustificano che la moglie debba fare la sua *toilette* davanti al marito, e offrirgli il deprimente spettacolo di una testa irta di bigodini e di un volto unto di crema nutriente. Né giustificano che il marito debba indugiare al risveglio con i capelli arruffati, la barba lunga. Se lui è abituato a dormire con la finestra aperta, e lei con la finestra chiusa, rinuncerà la sposa per rispetto all'igiene. Ma se lui ha l'abitudine di svegliarsi la mattina di buon'ora, non spalancherà le persiane e non la intontirà accendendo brutalmente la luce. Insomma, è bene che ognuno rispetti le abitudini dell'altro e soprattutto che si salvi, quanto più possibile, un minimo di poesia nella convivenza quotidiana.

Le bomboniere

A tutte le persone che hanno fatto un regalo (e anche a coloro che hanno mandato dei fiori) vanno spedite le bomboniere, subito dopo le nozze. Questo incarico se lo possono assumere le madri degli sposi. Le bomboniere saranno ordinate dalla famiglia della sposa almeno venti giorni prima del matrimonio, calcolando approssimativamente il quantitativo necessario (e sarà bene fare questo calcolo con una certa larghezza). Alla famiglia dello sposo sarà stato chiesto quante bomboniere occorrono e si sarà provveduto a fargliele recapitare già confezionate e pronte per la spedizione, senza dimenticare d'inserire in ognuna il cartoncino con i nomi degli sposi, a meno che lo sposo abbia dato la sua lista perché la famiglia della sposa provveda direttamente anche alle spedizioni che lo riguardano.

È ammesso ordinare due tipi di bomboniere, uno di lusso e uno più economico. Il primo, per chi ha fatto un regalo, il secondo per chi ha inviato solo dei fiori, per i subalterni e per le persone verso le quali non si hanno obblighi, ma a cui si vuole usare una cortesia. In certi matrimoni, si ordina anche un numero limitato di bomboniere supplementari extra-lusso per i testimoni, i parenti e gli amici che hanno fatto dei regali particolarmente importanti.

La bomboniera vera e propria oggi non è più obbligatoria. Si potrà preferirle qualche oggetto elegante e utile: per esempio, *una pinza da zucchero, un vasetto di porcellana per la marmellata, fregiato con le cifre degli sposi, un fermacarte* o *un tagliacarte d'argento, un portauova di Biscuit*, ecc. Qualsiasi oggetto, purché di buon gusto. Se non si ha eccessiva fiducia nel proprio gusto e si è costretti a fare le cose con economia, meglio rinunciare alle iniziative originali e scegliere il solito piattino d'argento, oppure una coppetta.

Nozze modeste

Meglio celebrare un matrimonio con decorosa semplicità, piuttosto che voler fare il passo più lungo della gamba. Si sceglierà una chiesetta piccola, e si preferiranno, se possibile, i mesi della primavera o dell'estate a quelli dell'inverno: una giornata di sole può supplire a tante cose, senza contare che i fiori costano meno e che quelli di campo, profusi con larghezza, assicurano un tono gaio e fresco all'insieme. Altrimenti, costretti a scartare i fiori di serra per i loro prezzi troppo proibitivi, si ripiegherà sul verde: ghirlande di alloro, punteggiate di garofani bianchi, lungo l'altare e gli inginocchiatoi. La sposa avrà un abito bianco corto e, invece del velo, una acconciatura fino alle spalle. Oppure un insieme elegante in tinta chiara e un cappello di colore pastello, con guanti intonati. Lo sposo vestirà preferibilmente in grigio ferro. Padri e testimoni si adegueranno a lui. Mancheranno i paggetti e le damigelle, e i testimoni non saranno quattro ma due. Si cercherà, comunque, di non rinunciare all'organo.

Seguirà un rinfresco in piedi. Potrà trattarsi di un semplice *vermouth* (aperitivi con salatini, pizzette calde, ecc.), oppure di un *buffet* vero e proprio. Sia l'uno che l'altro avranno luogo in un albergo, se la casa della sposa non è adatta a ricevere. Gli invitati saranno stati avvisati telefonicamente, risparmiando così il cartoncino d'invito solitamente inserito nella partecipazione. Lo *champagne* non dovrà mancare.

Per le bomboniere si ripiegherà sulle solite coppette oppure, per maggiore economia, su dei sacchettini di pelle bianca, con cinque confetti ognuno (ricordo che i confetti debbono essere sempre in numero dispari: tre, cinque, sette). Sul bigliettino inserito nella bomboniera va stampato il nome dello sposo seguito da quello della sposa. I cognomi, mai.

Matrimonio in tempo di lutto

Un lutto in famiglia dovrebbe far rimandare la data delle nozze, ma questo non è sempre possibile. In tal caso, al matrimonio devono essere invitati solo i parenti e gli amici più intimi. Nessuno vestirà a lutto. La sposa avrà un abito in tinta sobria. Lo sposo indosserà il solito completo grigio ferro. Il giorno dopo le nozze, la famiglia riprenderà il lutto. Gli sposi, invece, ne saranno dispensati.

Seconde nozze

Per chi vuole contrarre un secondo matrimonio, la Chiesa non stabilisce quanto tempo deve passare dalla morte del primo coniuge, ma consiglia di attenersi il più possibile alle consuetudini e ai permessi precisati dalla legge civile. Secondo il Codice civile italiano, una vedova non può contrarre matrimonio se non dopo 300 giorni dallo scioglimento delle prime nozze (avvenuto con la morte del marito) o dall'annullamento del matrimonio precedente onde evitare eventuali contestazioni riguardo alla paternità di un nascituro. La dispensa da questo divieto può essere concessa dal Capo dello Stato o dalle Autorità competenti. Per quanto invece riguarda gli uomini, un elementare buon gusto, se non altro, dovrebbe trattenere anche il più impaziente dei vedovi dal bruciare le tappe per convolare a nuove nozze prima di un minimo di sei mesi.

La cerimonia viene celebrata in sordina: non si mandano cartoncini d'invito, ma solo partecipazioni a nozze avvenute. In certi casi, un minimo di sensibilità può sconsigliare anche queste; il matrimonio viene annunciato soltanto agli amici più cari, con un biglietto scritto a mano.

Il genitore che si risposa può chiedere ai figli di primo letto di assistere alla cerimonia, se è assolutamente sicuro di far loro cosa gradita. Naturalmente se invece di un vedovo o di una vedova si tratta di una persona che ha "annullato" il primo matrimonio, si asterrà dal fare inviti.

Matrimoni misti

La Chiesa non vede di buon occhio i matrimoni misti, fra cattolici e protestanti o ebrei, ma li autorizza a certe condizioni: occorre ottenere una dispensa dal Vescovado e bisogna impegnarsi formalmente a battezzare e allevare i figli secondo la religione cattolica.

Matrimonio in campagna

Le nozze in campagna riescono più cordiali, spontanee e gradevoli di quelle celebrate in città. La madre della sposa avrà però maggiori responsabilità e un'organizzazione più complicata sulle spalle. Se la casa è lontana da un centro, si dovranno ospitare numerosi parenti, sistemare nelle ville vicine o nell'albergo più prossimo gli invitati che arrivano la vigilia del gran giorno, guarnire di fiori la cappella privata (o sorvegliare l'addobbo della chiesa del paese), sobbarcarsi cene, colazioni e pranzi. Se non si ha una cappella privata e la chiesa del paese è troppo lontana e inadatta, si può improvvisare, d'accordo col Parroco, una cappella nella sala di soggiorno. Occorreranno una bella tovaglia ricamata per l'altare, dei candelabri d'argento o d'ottone, e fiori a profusione.

Il rinfresco verrà servito all'aperto: le tovaglie non saranno bianche (al sole il bianco abbaglia), ma colorate. I centri da tavola saranno composti da piramidi di frutta e verdure disposte artisticamente. Naturalmente, l'abito della sposa sarà in carattere con l'ambiente. Niente rasi o sete brillanti, né strascico ingombrante, ma un vestito semplice e un velo breve. Lo sposo non indosserà il *tight*, ma un completo di tela di seta o gabardine chiara. Padri e testimoni, saranno vestiti come lui. Se la villa ha una "fattoria", i contadini non saranno dimenticati e alla fine della colazione la sposa e lo sposo distribuiranno i confetti anche a loro.

Gli invitati che vengono di fuori

Chi desidera fare le cose *con larghezza*, fisserà in qualche albergo le camere per i parenti e gli amici che vengono da altre città. Provvederà a pagarne il conto, alla loro partenza, avvertendo in anticipo la direzione.

Si agirà allo stesso modo se si tiene assolutamente alla presenza di qualche amico poco facoltoso, a meno che non lo si possa ospitare in casa propria o in casa di parenti.

Se non si desidera addossarsi le spese d'albergo degli invitati al matrimonio, si farà in modo di avvisare i meno facoltosi: per esempio, proponendo loro il tale albergo che è "conveniente" e, naturalmente, "è frequentato benissimo".

Nozze d'argento, d'oro, di diamante

Gli anniversari di nozze da celebrare cambiano secondo i Paesi. In America se ne festeggiano otto, in Inghilterra dodici e in Francia certi galatei ne indicano addirittura quattordici. Da noi, non si trovano due libri di etichetta d'accordo sull'argomento: nozze di cotone, di carta, di cuoio, di legno, di lana, di stagno, di seta, di porcellana, di cristallo, ecc... Mi pare superfluo precisarne le date, visto che fortunatamente quasi nessuno ne tiene conto. Soltanto tre sono importanti e vanno ricordate: quelle delle *nozze d'argento*, delle *nozze d'oro* e delle *nozze di diamante*: venticinque, cinquanta e sessant'anni di matrimonio.

Questi anniversari vengono festeggiati generalmente in famiglia, invitando a una colazione o a un pranzo, oppure a un tè o a un *cocktail*, i figli, i parenti, gli amici più cari. Se si vogliono fare le cose formalmente, gli inviti possono essere stampati su un cartoncino di partecipazione. Per esempio:

ALBERTO e FIORENZA MAGGI
pregano il prof. Carletti
di voler intervenire a un pranzo } *a mano*
il 3 marzo, ore 21, in occasione delle loro nozze d'argento
R.S.V.P. (cravatta nera)

Oppure il solito cartoncino stampato da cocktail, completato a mano:

ALBERTO e FIORENZA MAGGI
pregano *il Signore e la Signora Ponti*
di voler intervenire a un cocktail
il 3 marzo, ore 19 in poi,
in occasione delle loro nozze d'argento

} *a mano*

O addirittura un cartoncino formalissimo tutto stampato:

ALBERTO e FIORENZA MAGGI
Saranno lieti di ricevere gli amici
in occasione delle loro nozze d'argento
giovedì 5 aprile, alle 22,30

S.P.R. (cravatta nera)

Gli invitati si faranno precedere da mazzi di fiori bianchi, i parenti stretti manderanno o porteranno un regalo e parteciperanno alla Messa che verrà celebrata la mattina di quel giorno. I coniugi si scambiano dei doni: d'argento per le nozze d'argento, d'oro per le nozze d'oro; per quelle di diamante... solo la moglie riceverà una spilla o un anello con quella pietra. Oppure non riceverà nessun brillante (ché ormai di ingioiellarsi dovrebbe esserle passata la voglia) ma un piccolo dono-pensiero, per esempio un cerchietto di brillanti, da portare insieme con la fede. Glielo offrirà il marito, dopo averci infilato un mazzolino di violette.

È probabile che, raggiunte le nozze d'oro, i vecchi sposi non se la sentano di sopportare le fatiche di un ricevimento. Figli, nipoti e pronipoti verranno semplicemente a far loro gli auguri; la casa sarà piena di fiori, gli amici manderanno dei telegrammi.

Talvolta, sono i figli a organizzare un ricevimento per festeggiare le nozze d'argento, d'oro o di diamante dei genitori. Insieme con i parenti si potranno invitare gli amici di famiglia. Gli inviti saranno fatti a voce o con biglietti da visita completati da alcune righe esplicative.

CAPITOLO VIII

SEPARAZIONE, ANNULLAMENTO DIVORZIO

La separazione, il divorzio o l'annullamento, sinonimi di fallimento, non vanno partecipati, come non si partecipa una bancarotta o l'epilogo disastroso di un affare. Del resto, le notizie di questo genere volano rapidamente e, in quei periodi di crisi, è consigliabile tenersi appartati, parlare il meno possibile e soprattutto non lasciarsi andare a sfoghi rancorosi contro l'altra parte, sfoghi che tutti, naturalmente, son pronti ad accogliere avidamente e con apparente simpatia, per poi trarne conclusioni raramente benevole.

In caso di separazione, dovrebbe essere il marito a lasciare il domicilio coniugale. La moglie si deciderà a questo passo soltanto se la situazione sarà diventata insostenibile per lei: andrà ad abitare, almeno provvisoriamente, in casa dei genitori o di qualche prossima parente.

La moglie continuerà a portare l'anello nuziale e a firmarsi col nome del marito finché non avrà ottenuto il divorzio o l'annullamento del matrimonio. Ottenuto l'uno o l'altro restituisce al marito i gioielli "di famiglia" che le ha regalati.

La signora separata dal marito sarà cautissima nel contrarre nuove amicizie e nel ricevere in casa. Eviterà tutto ciò che potrebbe nuocere alla sua reputazione. Non farà confidenze indiscrete a Tizio e a Caio e soprattutto resisterà alla tentazione di descrivere il marito come un bruto o un Barbablù (e se stessa, di conseguenza, come una pecorella raggirata e delusa). Cercherà di mantenere rapporti per lo meno cordiali con la famiglia di lui. Non ostacolerà gli incontri tra i suoceri e i bambini, se ne ha. Continuerà a mandare alla suocera e alle cognate cartoncini di augurio a Natale e a Pasqua.

E il marito, se qualcuno ha il cattivo gusto di sparlare in sua presenza della moglie, non rincarerà la dose, ma cambierà discorso o la difenderà cavallerescamente. Non toglierà il saluto agli amici che continuano a frequentarla. Se la incontrerà a un ricevimento non le volterà con ostentazione le spalle: piuttosto si accomiaterà non appena possibile, perché tocca a lui cederle sempre il posto.

Una raccomandazione, infine, all'uno e all'altra: non ponete un *aut aut* ai vostri amici: "o lei o me. O io o lui". Non metteteli a disagio chiamandoli a giudicare dei fatti che non li riguardano. Abbiate il buon senso di ricordare che fino a poco tempo prima vi sareste ritenuti offesi se avessero azzardata la più lieve critica contro l'uno o l'altra di voi.

Separazione legale

Una separazione fatta senza parole grosse e senza pubblicità facilita le vie della riconciliazione. Se questa non è assolutamente possibile, i rispettivi avvocati iniziano le pratiche per la separazione legale. Il Presidente del Tribunale convoca i coniugi per "l'udienza di conciliazione". Li interroga separatamente, poi insieme. Tenterà di rappacificarli, quasi inevitabilmente non ci riuscirà, e allora stenderà il verbale di "separazione legale per mutuo consenso". Il verbale dichiarerà a quale dei due coniugi spetti la custodia dei figli e stabilirà gli alimenti che il marito dovrà passare alla moglie.

Durante questa udienza i coniugi si comporteranno con calma. Né lacrime, né crisi di nervi, lei; né sgarberie né rinfacciamenti, lui: l'educazione non ha nulla a che vedere con i sentimenti, né soprattutto con i risentimenti. Ebbi la disavventura una volta di assistere a una lite fra marito e moglie. Si trattava di una coppia, grazie a Dio, educatissima. Infatti chi avesse potuto assistere alla scena, di dietro a una vetrata, senza sentire gli atroci rimproveri che rimbalzavano dall'uno all'altra, non avrebbe mai immaginato che quei due bisticciassero: lei gli versava il tè, glielo inzuccherava, glielo porgeva. Lui le raccoglieva lo scialle, glielo metteva sulle spalle, le offriva una sigaretta e gliela accendeva. Insomma, pur rinfacciandosi le più gravi colpe, continuavano per un'istintiva educazione a prodigarsi mille cortesie.

Dovendo rinunciare alla "separazione per mutuo consenso", si cerca di ottenere la separazione "per sentenza". In questo caso, viene promossa una causa vera e propria che sarà discussa davanti al Tribunale.

Annullamento

La signora che è riuscita a ottenere l'annullamento, riprende il suo cognome di ragazza e non porta più la fede. Parlando del marito evita di dire disinvoltamente "il mio ex", e questi, per un riguardo a lei, non celebra la riacquistata libertà tuffandosi di colpo in un susseguirsi di divertimenti e di pranzi.

CAPITOLO IX

LA TAVOLA

In famiglia

La prima a essere servita, in famiglia, è la padrona di casa. Seguono il padrone di casa, la figlia, il figlio. Se ci sono una nonna, una zia, una parente anziana, esse hanno, per riguardo, la precedenza su tutti.

La tavola dev'essere sempre apparecchiata con cura e la tovaglia pulita. Al momento di presentarsi in sala da pranzo, i ragazzi avranno le mani pulite e i capelli in ordine. Il padrone di casa lascia in salotto il giornale e spegne inesorabilmente radio o televisore, ben sapendo che soprattutto in quelle brevi ore dei pasti gli è dato avvicinarsi ai figli discorrendo liberamente con loro.

I pasti principali hanno, in Italia, diverse denominazioni. A scanso di confusione noi diremo:

Prima colazione.
(Seconda) colazione.
Pranzo.
Cena (dopo la mezzanotte).

Inviti

Si invita a colazione tra l'una e l'una e mezzo. A pranzo, tra le otto e un quarto e le nove e un quarto. L'ora dipende dalle consuetudini dell'ambiente, dalla città e dalla stagione. Nel Nord Italia l'ora dei pasti è anticipata rispetto al Sud Italia.

Ci si presenta esattamente all'ora indicata: è consentito solo un ritardo di qualche minuto. La padrona di casa sarà già in salotto quando arriverà il primo ospite.

Le colazioni hanno un carattere meno formale e impegnativo dei pranzi. Gli inviti vengono fatti, nell'uno e nell'altro caso, per telefono, ma se si tratta di un invito di una certa importanza, sia per il numero dei commensali che per la qualità di alcuni di essi, alla telefonata seguirà l'invio di un biglietto di visita con le seguenti parole, scritte a mano:

per memoria

GIOVANNI e MARTA BORGHI

sabato 13 maggio, alle nove e mezzo, per pranzo

cravatta nera

("cravatta nera" significa: *smoking* per i signori, vestito corto ma scollato per le signore). Le parole "*per memoria*" possono essere abbreviate come segue: "*p. m.*".

Chi ha l'abitudine di ricevere, può farsi stampare degli appositi cartoncini d'invito che verranno completati a mano, volta per volta. Esempio:

FRANCESCO e STEFANIA BIANCO
PREGANO *l'Avvocato e la Signora Rossi*
DI VOLER VENIRE *a pranzo*
alle 9, giovedì 19 marzo (a mano le parole in corsivo)

cravatta nera S. P. R.

Telef. 168.654

Questo tipo di cartoncino mandato con dieci o dodici giorni di anticipo non sarà preceduto dalla telefonata, essendo completato dalle tre lettere S.P.R. che significano "*Si Prega Rispondere*". (Vedi anche pag. 68.) Si risponderà immediatamente per telefono o per iscritto, sia che si accetti, sia che non si accetti. Si può adoprare questo cartoncino stampato, anche come biglietto "per memoria", cancellando le iniziali S.P.R. e mettendo al loro posto "p.m.".

Colazioni e pranzi

Se si tratta di una colazione, la tavola viene guarnita di fiori. Centri da tavola, candelabri, zuppiere antiche sono più indicate la sera. I piattini del burro, invece, appaiono sulla tavola solo alle colazioni.

Il formaggio non va mai servito a un pranzo (la sera). Il caffè dev'essere servito in salotto.

A mano a mano che gli ospiti arrivano, la padrona di casa offre gli aperitivi: Carpano e Bitter, vodka, whisky, Jerez, sugo di pomodoro. Saranno accompagnati da olive, dadini di formaggio olandese, o groviera, biscottini salati. Solo prima della colazione l'aperitivo può arricchirsi di pizzette calde, "palline" di formaggio e altri salatini che dovrebbero, in teoria, stuzzicare l'appetito, ma in realtà lo addormentano, a detrimento del pasto che segue. Quando gli ospiti sono al completo e gli aperitivi sono stati offerti, il cameriere (o la cameriera) spalanca la porta della sala da pranzo e avverte che "la signora è servita". Se la signora gli volta le spalle o non gli fa caso, il cameriere le si avvicina e ripete discretamente la frase. Comunque, si raccomanda che codesti annunci non siano mai squillati (come se fosse l'ora del rancio in caserma), l'effetto è deleterio: alle conversazioni bruscamente interrotte succede un improvviso silenzio e si passa da una sala all'altra come se ci si recasse a rendere l'ultimo omaggio a un defunto.

Una volta, questi passaggi in sala da pranzo avvenivano con le

coppie disposte in corteo. Oggi questa etichetta viene applicata solo nei pranzi di carattere molto formale: si vedrà allora il padrone di casa offrire il braccio all'invitata di maggior riguardo e la padrona di casa prendere quello dell'invitato più importante (se si tratta di un Prelato, non gli prende il braccio ma gli si mette accanto). Di solito, però, le cose si svolgono più semplicemente: prima passano le signore, le più giovani seguono le più anziane, ultima la padrona di casa che precede a sua volta il gruppo dei signori. Ultimissimo, il padrone di casa. Se gli ospiti sono più di sei sarà opportuno mettere un cartellino col nome di ciascun invitato davanti a ogni piatto: nulla di più penoso, infatti, che vedere la padrona di casa imbrogliarsi nell'assegnazione dei posti, oppure consultare febbrilmente il foglio sul quale ha segnato la disposizione di ognuno.

Segnaposti

Sui cartellini segnaposti si leggeranno dunque i nomi degli invitati: "Signor Franci", "Avvocato Zani", "Contessa Toschi", "S. E. l'Ambasciatore Conti". Se gli invitati sono tutti amici intimi basta mettere il nome di ognuno. Se tra gli invitati c'è un Prelato, un alto personaggio politico, o una Altezza Reale, i titoli cui essi hanno diritto non verranno abbreviati ma scritti per intero. Si scriverà per esempio: "Onorevole Bianchi" o "Sua Eccellenza Rossi".

Nei grandi ricevimenti, si usa mettere nell'ingresso, bene in vista su un mobile, il disegno della pianta della tavola da pranzo con il nome di ogni invitato segnato al posto che gli spetta. Tale accorgimento evita ingorghi e confusioni al momento di sedersi: ognuno ricorderà per lo meno se il proprio nome era scritto a destra o a sinistra di quello della padrona di casa.

Le signore si accomodano appena raggiunto il loro posto, contemporaneamente, o quasi, alla padrona di casa. I signori siedono dopo questa; ultimo, naturalmente, il padrone di casa. Uno o due camerieri dovrebbero trovarsi dietro le sedie delle due signore di maggior riguardo (quelle cioè a destra e a sinistra del padrone di casa) per aiutarle ad accomodarsi.

Posti a tavola

I padroni di casa siedono possibilmente l'uno di fronte all'altra. *La padrona di casa avrà l'invitato più anziano e più importante alla sua destra*; alla sua sinistra, quello che lo segue immediatamente in anzianità e importanza. Gli altri invitati verranno alternati con le signore (i meno importanti più lontani dai padroni di casa).

Il padrone di casa avrà l'invitata più anziana o importante alla sua destra; alla sua sinistra, quella che la segue per importanza o anzianità.

I celibi e le persone di famiglia vanno messi nei posti più lontani dai padroni di casa. Ma è ovvio che non si metterà in fondo alla tavola la suocera o qualche parente anziana.

Ai pranzi di famiglia i ragazzi siedono in fondo alla tavola. Se sono presenti i quattro suoceri, il padrone di casa avrà alla sua destra la suocera, alla sinistra la propria madre. La padrona di casa avrà alla sua destra il suocero, alla sinistra il proprio padre.

Se chi invita è un celibe darà il posto della padrona di casa, di fronte a sé, alla signora che intende onorare. Questa avrà ai suoi lati i due invitati maschi più importanti.

Se una coppia invita un'altra coppia, la regola vorrebbe che la padrona di casa avesse alla sua destra l'invitato, e il padrone alla sua destra l'invitata. Ma così disposti attorno a un tavolino per quattro, le due signore risulterebbero vicine, e vicini i loro mariti.

Perciò, è preferibile mettere le due signore l'una di fronte all'altra:

la padrona di casa avrà alla sinistra l'invitato e alla sua destra il marito, il che può sembrare scorretto; ma è l'unico modo di permettere che l'invitata sieda alla destra del padrone di casa, ed abbia quindi la precedenza sul marito. Se la tavola è rettangolare, invece, la padrona e l'invitato siederanno su un lato (lui alla destra di lei) e il padrone e l'invitata di fronte a loro (lei alla destra di lui).

Se una coppia invita una signora sola, questa siederà alla destra del padrone di casa. Se l'invitato è un uomo siederà alla destra della padrona.

Se una signora sola invita una coppia, avrà alla destra l'invitata, a sinistra l'invitato.

Tra invitati di uguale importanza e circa della stessa età, si dà la precedenza a chi è meno intimo della casa. *Un forestiero ha sempre la precedenza sugli altri commensali.*

Volendo usare pari riguardo a due coppie di invitati (in un pranzo numeroso), si potranno alternare gli onori del posto. Il marito di una delle signore siederà a destra della padrona di casa. La moglie dell'altro signore a destra del padrone di casa.

Per le precedenze a tavola si legga quanto è scritto a pag. 118 nel capitolo dedicato a questo argomento. Qui mi limiterò a ricordare che è *meglio rinunciare ad invitare a un medesimo pranzo persone importanti e suscettibili in fatto di precedenze se la designazione*

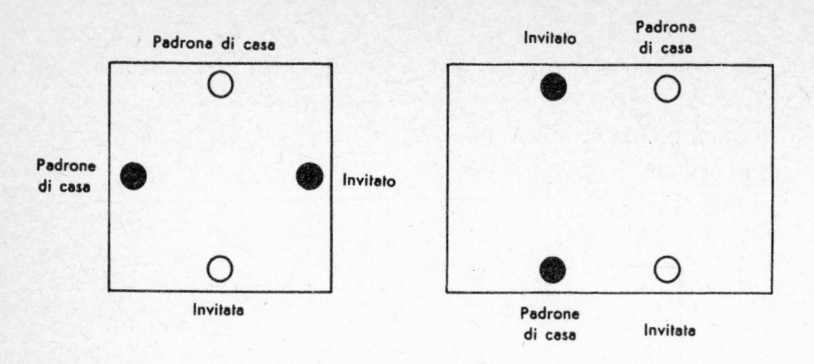

dei posti si presenta troppo spinosa. In questo caso è preferibile sobbarcarsi due pranzi.

Se la tavola è rettangolare e i commensali sono *otto* (cioè quattro coppie) i padroni di casa non potranno sedere l'uno di fronte all'altro per l'impossibilità di alternare gli invitati maschi con le signore: due uomini e due donne risulterebbero, comunque si girino i posti, vicini. E allora, ecco due soluzioni: la prima accontenterà chi desidera fare le cose secondo l'uso anglosassone, per cui a tavola il padrone di casa conta più della padrona. *Occuperà quindi lui il posto a capo tavola*, e di fronte avrà l'invitato d'onore. Il disegno che segue spiegherà più chiaramente la sistemazione:

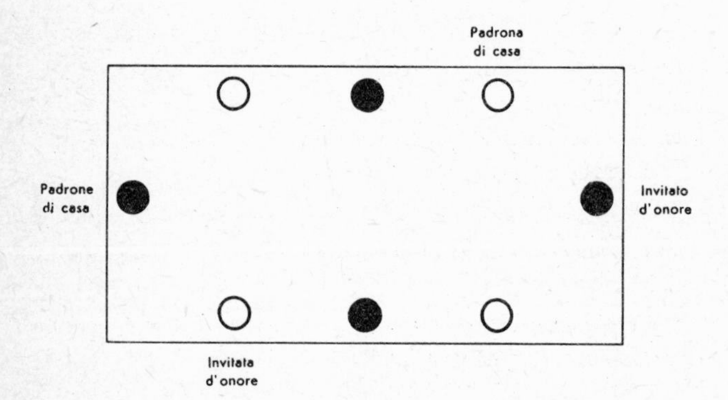

L'altra soluzione accontenterà chi vuol fare le cose alla latina, e cioè lasciando *alla padrona di casa la precedenza a capo tavola.*

Quest'ultima soluzione offre sulla prima il vantaggio che le signore non siedono verso gli angoli della tavola, ma al centro di essa.

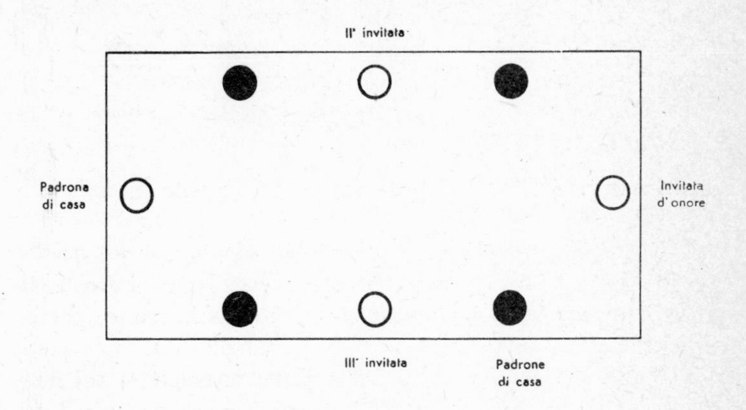

Punti essenziali per la riuscita di un pranzo

Per affrontare un pranzo senza lo spettro di eventuali catastrofi, la buona padrona di casa dovrà essere sicura:

a) *che gli invitati siano bene intonati tra loro. Non si inviterà, per esempio, l'austera signora Casachiesa insieme con la divorziatissima signora Semprelesta. Si potranno invece invitare benissimo assieme il famoso Maestro Brambilla e il marchese Treblasoni, che non perde un concerto alla Scala;*

b) *che l'apparecchiatura della tavola sia impeccabile. Con il pesce non mancheranno le posate speciali, altrimenti meglio rinunciare a questa pietanza;*

c) *che la cuoca sia sicurissima di sé, e che il* menu *sia stato precedentemente collaudato;*

d) *che la cameriera sia perfettamente al corrente del servizio di tavola.*

Comportamento della padrona di casa

Durante lo svolgersi del pranzo, la padrona di casa non deve lasciar trasparire la minima apprensione. Se un tragico rovinìo di cocci proviene dalla cucina, lei continuerà stoicamente a sorridere. Se la pausa tra una portata e l'altra si prolunga in modo allarmante, non si innervosirà, non risponderà distratta e depressa al suo vicino, cercherà piuttosto di essere lei a distrarre lui e gli altri commensali, animando la conversazione. Se non ci riesce, si spera almeno che il marito possa esserle di aiuto. Se il cameriere commette qualche errore di servizio non lo sgriderà: otterrebbe solo di sottolineare maggiormente la sua mancanza e lo metterebbe in imbarazzo, rischiando così di provocare altri guai. *Non insisterà mai perché un ospite si serva una seconda volta*, non farà commenti sulle pietanze, sulle qualità della cuoca, ecc. Prima di dare il "via" dalla sala da pranzo, si accerterà che tutti gli invitati abbiano finito di mangiare.

Comportamento degli invitati

La signora che è invitata a una colazione evita di fare, prima, molte commissioni, per non presentarsi carica di pacchetti. Non si toglie il cappello se non è intima della casa. Prima di entrare in salotto, affida alla cameriera il mantello e l'ombrello e si sfila i guanti per porgere la mano ai padroni di casa. In sala da pranzo, l'invitata si siede senza aspettare l'esempio della padrona di casa, ma fa in modo di non precederla troppo. L'invitato, invece, si siede *dopo* le signore. Gli invitati incominciano a mangiare appena si sono serviti: solo per il "dessert" è consuetudine aspettare che la padrona di casa sia stata servita. In nessun caso, la persona invitata si rivolge al cameriere per chiedere del pane, del sale, del vino, o qualsiasi altra cosa. Questo comportamento è ammesso solo al ristorante. Naturalmente se il cameriere si è dimenticato di darle la forchetta, cercherà di fargli un cenno senza dare troppo nell'occhio.

A tavola, ogni commensale parla con i suoi vicini di destra e di sinistra; eventualmente anche con quello di fronte. Non si cerca di intavolare una conversazione con un commensale che si trova lontano dal proprio posto. Se la padrona di casa non ha fatto tutte le presentazioni chiare all'arrivo, e non si ha un'idea precisa di chi possa essere il nostro vicino, si andrà cauti nel conversare con lui: non si faranno osservazioni malevole sulla signora che siede pochi posti più in là; potrebbe darsi che fosse sua moglie. Non gli si racconterà l'ultima barzelletta su Abramino Levi: potrebbe darsi che Abramino Levi fosse anche il suo nome.

Servizio e cambiamento dei piatti

I piatti per le pietanze calde (pesce e *desserts* esclusi) vanno serviti tiepidi. Finita la minestra, la cameriera toglie insieme al piatto fondo, quello normale su cui il primo appoggia. Ma se la minestra è stata servita a tavola dalla padrona di casa, il piatto normale non viene tolto e servirà per la seconda portata.

Se un invitato lascia cadere una posata in terra, la cameriera gliela sostituisce con un'altra che verrà portata su un piatto e messa sulla tovaglia, al suo posto. Se l'ospite lascia cadere il tovagliolo, la cameriera lo raccoglie e glielo restituisce.

Il piatto usato va tolto dalla sinistra o dalla destra del commensale? E quello pulito da quale parte va servito? Per risolvere questi problemi, astenetevi dal consultare i vari manuali di Saper Vivere: rimpiazzereste l'incertezza con la confusione, persuadendovi inoltre che si possono sostenere due tesi diametralmente opposte con argomenti ugualmente validi. Comunque... da noi una regola abbastanza diffusa vuole che *i piatti puliti vengano serviti sempre dalla sinistra* (come quelli da portata) *e i piatti sporchi vengano tolti sempre dalla destra del commensale.*

La *mezzaluna* da insalata va messa prima di passare l'arrosto, alla sinistra di ogni piatto. Volendo sveltire il servizio è ammesso servirla già riempita di insalata, subito dopo il primo "giro" dell'arrosto.

Consommé e minestra

Il *consommé* si serve in tazze. Se accompagna una pietanza (*soufflé*, *vol-au-vent*, riso ecc.) *ogni tazza con sottotazza viene posata a destra del piatto di ciascun commensale.* Al momento di sedersi a tavola, le tazze saranno state già servite. Se il *consommé* non accompagna alcuna pietanza, tazza e sottotazza vengono posate davanti al commensale, su un piatto normale. Al momento di sparecchiare si toglie la tazza insieme alla sottotazza e al piatto normale.

La minestra non si serve mai alle colazioni, ma solo ai pranzi. Sarà già servita quando ci si siede a tavola; il liquido non oltrepasserà il bordo interno del piatto fondo. La minestra non viene mai offerta due volte.

Il pesce

Meglio non offrire pesce se non si posseggono le posate speciali. Esistono anche dei piatti da pesce, di forma e disegno particolari, ma non sono indispensabili. Obbligatorie, invece, le apposite posate da portata.

Mezzelune da insalata

L'insalata non verrà mai offerta in un recipiente metallico, ma di cristallo o di legno. Le posate da servizio debbono essere di osso, di legno, o di materiale trasparente. Ogni commensale avrà accanto al piatto, sul lato sinistro, l'apposita mezzaluna di cristallo o di porcellana. Un piattino tondo può sostituirla. Piattino o mezzaluna devono essere messi sulla tavola al momento in cui si cambia il piatto da minestra con quello dell'arrosto.

Formaggio

Il formaggio si serve soltanto alle colazioni, mai ai pranzi. Non viene offerto due volte. (Per questo argomento, vedi pag. 117).

Dessert e frutta

Prima di passare la frutta o il *dessert*, la cameriera spazzola via le briciole dal posto di ogni invitato e toglie i piattini del pane. Per le briciole si serve di un tovagliolo pulitissimo piegato in quattro, oppure dell'opposito raccogli-briciole che consiste in uno spazzolino e un piccolo vassoio. Una volta, il *dessert* veniva servito prima del formaggio. Adesso, *chiude il pranzo e precede la frutta.*

Il *dessert*, quando si tratta di una colazione, è meno elaborato che non quando si tratti di un pranzo. Potrà essere: macedonia, crostata, millefoglie, budino, *soufflé* di cioccolata o di vaniglia, ecc.

La coppa lavadita è indispensabile con le frutta. Sarà servita sul piattino da frutta e riempita a metà di acqua: appena tiepida d'inverno, fresca d'estate. In ognuna navigheranno una o due violette, oppure uno fogliolina di menta o, ancora, un sottile dischetto di limone.

Caffè e liquori

Il caffè non viene mai preso in sala da pranzo ma in salotto. Nelle colazioni senza importanza lo può servire la signora. La cameriera porta il vassoio con le tazzine, la caffettiera e lo zucchero. Lo posa su un tavolino di fronte alla signora, che provvede a riempire le tazze, passandole agli ospiti dopo essersi informata di quanto zucchero desiderano. Se il pranzo è più importante, la cameriera (o il cameriere) passa un vassoio sul quale sono disposte alcune tazze, la caffettiera e la zuccheriera (terminate le tazze torna a prenderne delle altre). Serve gli ospiti e chiede a ognuno se deve, o no, zuccherare il caffè.

Subito dopo il caffè, si offrono i liquori: *Cognac* o *Armagnac*, di preferenza dopo una colazione. *Cognac*, *Armagnac*, *Whisky*, *Pippermint, Cherry Brandy, Strega, Anisette* ecc., dopo un pranzo. Verso la fine della serata, il cameriere porta in salotto il carrello delle bevande dissetanti: spremuta di pompelmo, di arancia, acqua minerale e dei bicchieri grandi (non a calice). In un piatto d'argento saranno offerti cioccolatini, biscottini leggeri di pasta frolla, dolcetti di frutta caramellata, ecc.

Si passano una volta sola...

Il *consommé*, la minestra, il formaggio, le frutta, il caffè.

Commiato

Dopo una colazione, ci si trattiene tre quarti d'ora o un'ora. Dopo un pranzo, circa un'ora e mezzo o due ore, a meno che la padrona di casa non abbia organizzato delle tavole da gioco, il che prolungherà la serata oltre la mezzanotte. La padrona saluta gli ospiti in salotto. Il padrone di casa li accompagna nell'ingresso e aiuta le signore a indossare i mantelli, mentre il cameriere aiuta i signori. A Milano, e in generale nelle città del Nord Italia, è consuetudine dare una mancia al cameriere (o alla cameriera), alla fine di un ricevimento. A Roma e nel Sud Italia quest'abitudine è assai meno diffusa.

Pranzo con una sola donna di servizio

Occorre semplificare al massimo sia l'apparecchiatura che il servizio. Sulla tavola vengono disposte tutte le posate necessarie, il pane, l'acqua e il vino. Non si dimentichi che la donna di servizio è più indispensabile in cucina che in sala da pranzo: bisogna fare di tutto per non innervosirla, costringendola a un andirivieni a passo di corsa tra l'una e l'altra stanza. Un valido aiuto, del resto, la padrona di casa può riceverlo dal carrello che sistema accanto a sé; la domestica, ultimato il giro degli ospiti, vi depone il piatto da portata. A offrirlo per la seconda volta provvede la padrona di casa, mentre lei prepara in cucina il vassoio successivo. Naturalmente, la signora non si muove dal suo posto: passerà il vassoio al suo vicino di destra, che lo reggerà a sua volta mentre l'invitata che gli siede accanto si serve. Appena servita lei, il piatto continua il giro. Se il vassoio è troppo ingombrante, provvede la padrona di casa a servire gli ospiti sollecitando ognuno a passarle il proprio piatto. Un *menù* abilmente elaborato (per esempio il primo piatto caldo e il secondo freddo) semplifica il servizio. Il piatto freddo, preparato in precedenza, permette alla cameriera di dedicarsi completamente al servizio di tavola.

In questi pranzetti l'essenziale è che tutto si svolga senza nervosismi e che la padrona di casa sappia affrontare con serena disinvoltura qualsiasi piccolo incidente. Nessuno si aspetta da un pranzo di quel tono, un rigido rispetto dell'etichetta. Ci si aspetta però, dei piatti semplici, sì, ma appetitosi, e un'atmosfera di accogliente cordialità.

Pranzo col solo carrello

Menù: *un piatto caldo, uno freddo e un dessert* già preparato in anticipo. Oppure: *un piatto freddo, uno caldo e dessert* come sopra. O ancora: *un piatto unico (per esempio petti di pollo al riso con besciamella) insieme a un consommé caldo o freddo* (secondo la stagione), *insalata, dessert*. Un *menù* bene equilibrato permette alla padrona di casa di non muoversi affatto, o il meno possibile. Se gli invitati sono numerosi, ha possibilmente due carrelli: uno accanto a sé e uno all'altra estremità della tavola accanto al marito. Finita la prima pietanza, la signora si fa porgere dai suoi vicini di destra e di sinistra i piatti sporchi e li sostituisce con quelli puliti già pronti sul carrello: all'altro capo della tavola, suo marito fa la stessa cosa con i suoi vicini.

Il vino, l'acqua e il pane stanno sulla tavola. Ognuno ha tutte le posate necessarie apparecchiate al proprio posto. Le posate da portata stanno sul carrello accanto alla padrona di casa. In questi pranzi risulta utile il portavivande d'argento col coperchio. Posto in mezzo alla tovaglia, come centrotavola, contiene l'arrosto, mantenendolo caldo fino al momento di servirlo. Utilissimo lo scaldavivande elettrico o a fiammella. L'uno e l'altro evitano alla padrona di casa di fare la spola tra sala da pranzo e cucina.

Vini

Solo i vini ordinari vengono serviti in caraffa. I vini pregiati devono essere sempre lasciati nelle bottiglie, come pure qualsiasi acqua minerale. Lo *champagne* dev'essere aperto al momento di servirlo ed è indispensabile che sia ghiacciato. Il vino bianco viene servito fresco se è dolce, ghiacciato se è secco. I vini rossi di buona marca devono essere serviti *"chambrés"*, ossia portati alla stessa temperatura della sala da pranzo: per ottenere questo, si tengono in prossimità del termosifone o del caminetto per circa un'ora prima del pranzo. A un pranzo semplice si offre un solo vino intonandolo al piatto forte: *bianco se c'è pesce, rosso se c'è carne.* A un pranzo con pesce e carne si offre prima il vino bianco poi il vino rosso. A un pranzo formale si offrono tre vini. Per esempio:

- *Con la prima portata (pesce): vino bianco Soave, o Chablis, o qualche vino del Reno.*
- *Con la seconda portata (carne): vino rosso Barolo, Chianti, Borgogna, Chambertin ecc.*
- *Con il dolce: un vino da dessert, Moscato, Trebbiano, Malaga, Xeres ecc. Oppure dello champagne.*

Si può pasteggiare, specie d'estate, a *champagne*; in tal caso non mancherà al posto di ogni commensale un *moser,* ossia un frullino per chi lo preferisce non "gasato".

I vini vecchi che hanno un certo sedimento devono essere tolti dalla cantina alcuni giorni prima di venir serviti e lasciati "riposare". Nel riempire i bicchieri, il cameriere starà attento a non scuotere la bottiglia per non intorbidire il vino.

Ogni bevanda va servita alla destra dell'invitato. Bisogna girare leggermente la bottiglia, nell'alzarla dal bicchiere, per non versare gocce sulla tovaglia. Esistono, del resto, tappi speciali per ovviare a questo inconveniente (tappi "ferma-gocce"). Ma si potrà, ugualmente, ricorrere a un tovagliolino bianco legato a sciarpa intorno al collo della bottiglia.

Il vino *rosé*, che è una via di mezzo tra quello bianco e quello rosso, può essere servito d'estate, ben ghiacciato, in sostituzione del vino bianco e del vino rosso.

Con le ostriche e il caviale è indispensabile il vino bianco. (Invece nei ricevimenti, quando si offrono tartine di caviale, è preferibile servire della vodka.*)*

Bicchieri

L'acqua viene servita nei bicchieri più grandi: va versata prima di sedersi a pranzo. *Il vino rosso va servito nel bicchiere di media misura; in quello più piccolo il vino bianco.* Se c'è un terzo vino, da *dessert*, sarà stato apparecchiato un terzo bicchiere, talvolta di forma speciale, col gambo lungo, o colorato. Se con il dessert si offre *champagne*, ci sarà invece l'apposita coppa o un bicchiere alto e stretto, a *flûte* (ossia col gambo a calice).

Se si pasteggia a champagne, ogni convitato avrà due bicchieri soli: uno da acqua e uno per lo *champagne.* Annacquare un vino pregiato è un vero delitto, senza contare il crepacuore che si infligge alla padrona di casa, specialmente poi, se possiede una rinomata cantina.

Se i bicchieri disposti sulla tavola non sono più di due o tre, vanno messi *davanti* al coltello (e cioè un po' a destra del piatto) secondo questa successione: *prima quello grande da acqua, poi, da sinistra a destra, quello medio per il vino rosso, e da ultimo quello per il vino bianco.* Se sono quattro, si metterà quello da acqua di fronte al piatto, per poter scalare a destra il bicchiere da vino rosso, il bicchiere da vino bianco e infine, leggermente discosto, o più indietro, quello da *dessert* o da *champagne.* In mancanza di spazio, i bicchieri possono essere raggruppati, anziché disposti in fila, ma *sempre mettendo quello da acqua dalla parte sinistra.*

I bicchieri non vengono mai sparecchiati (come si usa per esempio in America), ma lasciati sulla tavola. È ammesso che il commensale, con un leggerissimo cenno della mano, faccia capire, mentre il cameriere si accinge a riempirgli il bicchiere, che non desidera altro vino. Questi non interpreterà quel gesto come un rifiuto definitivo da estendersi anche agli altri vini. Per servire il vino, il cameriere si mette alla destra di ogni commensale.

Sigarette

L'abitudine di fumare a tavola a metà pasto è desolante: il gusto della sigaretta si sovrappone a quello delle pietanze e tanto varrebbe servire, anziché un *menù* prelibato, due uova e un'insalata. Le sigarette non dovrebbero apparire che al momento del *dessert*. In genere, vengono offerte appunto tra il dolce e la frutta, a meno che non siano già state disposte sulla tavola in apposite coppette. In quest'ultimo caso, la regola vorrebbe che nessuno incominciasse a fumare prima di esserne autorizzato dalla padrona di casa.

Apparecchiatura

Ci sono due tipi di apparecchiatura: alla latina, e all'americana. La prima comporta la tovaglia grande, la seconda centrini singoli di tessuto, di plastica, o di paglia ecc., che ormai tutti conoscono. Tovaglie e centrini vanno ugualmente bene, ma s'intende che a un pranzo elegante non si metteranno sulla tavola né una tovaglia di tela stampata, né dei centrini di *nylon*. Il centrotavola, come ho già detto, va composto con fiori armoniosamente disposti, ma può consistere anche in un pezzo di argenteria pregiato, o in una antica zuppiera, oppure in due candelieri accesi.

Posate

Le posate devono essere sempre messe ai lati del piatto, secondo l'ordine in cui vengono adoperate: *le più lontane dal piatto saranno quelle di cui ci si serve per prime. Coltello e cucchiaio alla destra del piatto, alla sinistra sempre le forchette* (eccettuata quella piccola, da ostriche, il cui posto invece è all'estrema destra). Il cucchiaio va sdraiato all'insù, il coltello deve avere il tagliente della lama rivolto verso il piatto. Da noi, in linea di massima, non si ammettono più di due coltelli (uno da pesce e uno da arrosto) a lato di ogni posto (contrariamente all'uso americano che autorizza un vero spiegamento di argenteria davanti a ciascun ospite). Se le portate sono numerose, il cameriere provvede a portare le posate occorrenti insieme al piatto di ricambio. Le posatine da *dessert* (cucchiaio e forchetta) vengono apparecchiate sulla tavola, orizzontalmente, davanti a ciascun piatto. Quelle da frutta, vanno servite sul piattino da frutta sul quale è appoggiata la coppa lavadita: il coltellino a destra di questa, la forchettina alla sua sinistra. In famiglia è ammesso che le posate da frutta siano già apparecchiate sulla tavola. Nei disegni sono illustrati alcuni esempi di apparecchiatura.

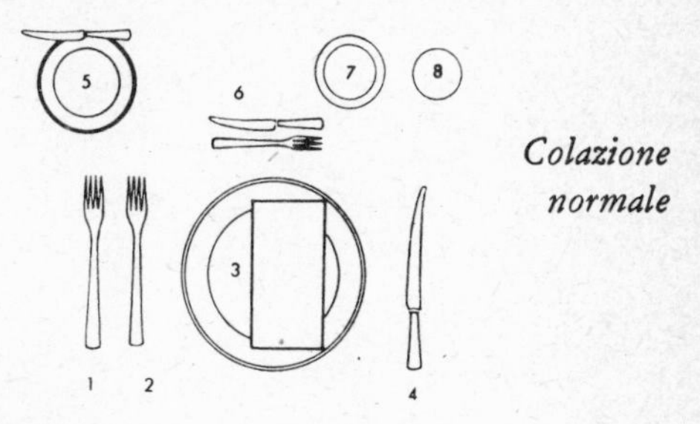

Colazione normale

COLAZIONE NORMALE

1) forchetta da 1ª pietanza
2) forchetta da 2ª pietanza
3) piatto da 1ª pietanza con tovagliolo
4) coltello da arrosto
5) piattino con coltellino da burro: *va apparecchiato solo alle colazioni. La sera lo si sostituisce con il piattino per il pane.*
6) posatine da formaggio (ma la forchetta va adoprata solo se si tratta di ricotta, mascarpone, o qualche altro formaggio morbido). Le posate da frutta verranno servite sul piattino da frutta come è stato detto.
   Si può, volendo, usare le posatine già sulla tavola per le frutta e mettere invece il piatto del formaggio col coltello sopra.
7) bicchiere da acqua
8) bicchiere da vino.

PRANZO NORMALE

1) tovagliolo
2) forchetta da 2ª pietanza (normale)
3) piatto normale, sul quale verrà appoggiato il piatto fondo da minestra già pieno prima che ci si metta a tavola

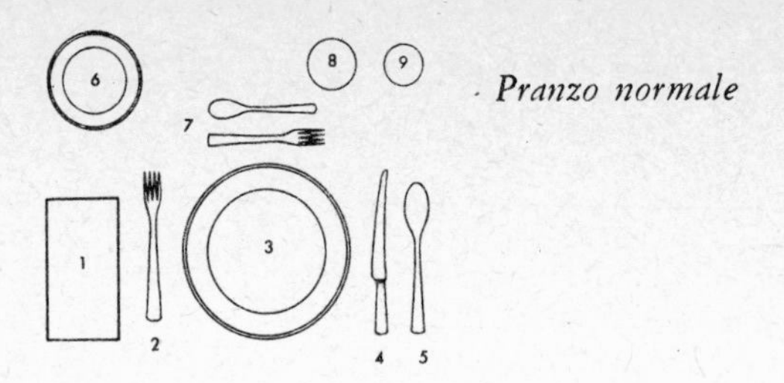

4) coltello da 2ª pietanza (normale)
5) cucchiaio da minestra
6) piattino per il pane
7) posate da dolce. Quelle da frutta verranno servite sul piattino da frutta.
8) bicchiere acqua
9) bicchiere vino.

Apparecchiatura per un pranzo con consommé

1) forchetta per 1ª portata
2) forchetta per 2ª portata
3) coltello da arrosto
4) cucchiaino da consommé
5) piatto normale
6) tazza e sottotazza da consommé
7) cucchiaino da *dessert* } si può apparecchiare, fra i due, an-
8) forchettina da *dessert* } che il coltellino
9) bicchiere grande da acqua
10) bicchiere medio da vino rosso
11) bicchiere piccolo da vino bianco
12) coppa da *champagne*
13) piattino del pane
14) tovagliolo.

E ora supponiamo che a un pranzo si debba servire il seguente *menù*:

minestra, pesce, arrosto, dolce, frutta.

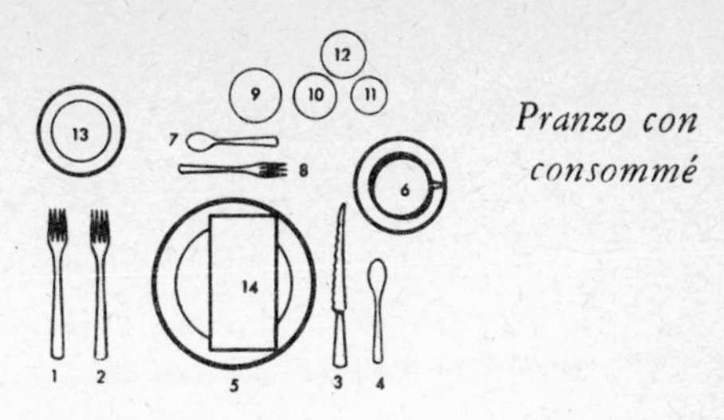

Pranzo con consommé

La tavola verrà apparecchiata così:

PRANZO CON PESCE E ARROSTO

1) tovagliolo
2) forchetta da pesce
3) forchetta normale
4) piatto fondo da minestra
5) coltello normale
6) coltello da pesce
7) cucchiaio da minestra
8) piattino del pane
9) posate da *dessert*
10) bicchiere da acqua
11) bicchiere da vino rosso (da riempirsi al momento dell'arrosto)
12) bicchiere da vino bianco (da riempirsi al momento del pesce e cioè subito dopo la minestra)
13) bicchiere da Porto (in cui viene servito qualsiasi vino liquoroso, da *dessert*).

Pranzo in piedi (buffet)

Il pranzo in piedi è un modo pratico (e più economico) di restituire in una volta sola diversi inviti a pranzo. Chi si reca a un pranzo in piedi sa che mangerà probabilmente male e in posizione scomoda: sa che potrà dirsi fortunato se riuscirà a condividere lo spigolo di una sedia con qualche altro invitato e che dovrà prudentemente evitare di trovarsi in un gruppo di signore, altrimenti gli toccherebbe rinunciare a mangiare, e dedicarsi a loro, correndo continuamente al *buffet* per provvederle di vino, pane, insalata russa ecc., rischiando, in quegli andirivieni, di rovesciare le pietanze addosso agli altri invitati. Per tutte queste ragioni, i pranzi in piedi sono preferibili quando gli invitati sono giovani e se la serata si conclude con dei dischi di ballabili o dei giuochi di società.

Serviti gli aperitivi, la cameriera spalanca la porta tra salotto e sala da pranzo; poi non la richiude dietro agli ospiti (come si usa per un pranzo abituale), in modo che chi lo preferisce possa tornare col proprio piatto a sedersi più comodamente in poltrona. È probabile che la padrona di casa segua allarmata questi bivacchi in salotto, ma beninteso non ne lascerà trasparire nulla: tutt'al più, si affretterà a distribuire tovaglioli e a insistere che ci si serva di prosciutto crudo piuttosto che di riso in besciamella.

Le pietanze vanno tutte allineate sulla tavola da pranzo. Sulla *desserte* sono disposti i piatti (a pile), i bicchieri da acqua e da vino, le posate, i cestini del pane, le caraffe. Ogni ospite si serve da sé, ma il cameriere aiuta le signore, distribuendo posate e piatti, e poi passando su un vassoio i bicchieri già pieni di vino. I padroni di casa non perdono d'occhio nulla e nessuno: gli ospiti timidi vengono incoraggiati, i maldestri aiutati, gli indecisi consigliati. Un *buffet* bene organizzato può comprendere una pietanza calda: un riso al *curry*, per esempio, che verrà servito direttamente dal cameriere, o dalla padrona di casa.

Pranzo con pesce e arrosto

I gomiti, le mani

I gomiti devono essere sempre accostati al corpo e le mani, nei momenti in cui non sono "occupate" con le posate, non vanno mai abbandonate in grembo, cosa che invece avviene normalmente nei Paesi anglo-sassoni. Non agitatele sotto al naso del vicino di tavola, nel corso di una discussione, e non invadete la sua *zona* con gesti bruschi e sgraziati che possano disturbarlo mentre mangia.

Coltello

Il coltello deve essere tenuto nella destra senza che l'indice oltrepassi il manico e tocchi la lama. Tenere il coltello come una penna stilografica è maleducazione. Il coltello non deve mai essere portato alla bocca (ma occorre dirlo?), né adoperato per tagliare le uova, le verdure, le patate e, soprattutto, il pesce per il quale esistono apposite posate.

Il cucchiaio e la minestra

In Inghilterra, il cucchiaio non viene introdotto in bocca per la punta, ma appoggiato lateralmente alle labbra. Mangiare la minestra in questo modo, senza inopportuni risucchi, conveniamone, non è facile. Da noi, per fortuna, le cose vanno altrimenti: il cucchiaio viene introdotto di punta in bocca. Ma ciò non vuol dire, beninteso, che lo si debba inghiottire fino al manico.

È tollerato che arrivati agli ultimi cucchiai di minestra, si sollevi appena il piatto, inclinandolo verso il centro della tavola. Assolutamente proibito, invece, soffiare sulla minestra per raffreddarla.

La forchetta

La forchetta si tiene con le punte rivolte in su quando è nella destra. Quando è nella sinistra (e nella destra si ha il coltello) la forchetta ha le punte in giù.

Quando si interrompe il pasto per conversare, si mettono le posate attraverso il piatto, col manico sul bordo: non devono mai toccare la tovaglia. Alla fine, vanno invece appoggiate sul piatto perpendicolarmente all'orlo della tavola, con i manici verso il commensale.

Il bicchiere

Si beve a piccoli sorsi. Le signore badano a non lasciare sbavature di rossetto sui bordi, e soprattutto non arricciano il mignolo a coda di volpino. Posato il bicchiere, ci si asciuga leggermente la bocca. Anche in questa circostanza, le signore fanno in modo di non stampare le labbra sul tovagliolo.

Non si alza mai il bicchiere verso chi ci sta versando da bere. Non lo si copre con la mano per rifiutare: basterà un lieve cenno negativo.

Lavadita

La coppa lavadita viene servita sul piattino da frutta, appoggiata su una sottocoppa (d'argento o di cristallo) oppure su un centrino. Non si bagnano le labbra con le dita inumidite, non ci si serve della coppa come se fosse un lavabo; vi si immergono appena le punte delle dita. Non è vietato rinfrescarci dentro la frutta, la quale, però, dovrebbe arrivare a tavola già pulita e fresca.

Il tovagliolo

Non deve essere mai introdotto nel *gilet*, e ancor meno legato intorno al collo: lo si spiega parzialmente, ottenendo una striscia lunga che viene distesa sulle ginocchia. Quando si è in visita, o quando si hanno invitati, *non lo si ripiega mai alla fine del pranzo*: lo si posa alla sinistra del piatto al momento di alzarsi.

Non si usa il tovagliolo per pulire le posate, i bicchieri o per "ripassare" i piatti prima di mangiare. Le signore non se ne servono per togliersi il trucco.

Sale e pepe

Non ci si serve di sale e di pepe con le dita né con la lama del coltello; perciò una buona padrona di casa provvederà sempre saliera e portapepe di appositi cucchiaini.

Il pane e i grissini

Non si taglia mai il pane col coltello. Si spezza, mano a mano, ogni boccone, possibilmente con la sola sinistra. Questo vale anche per i grissini. Non si sbriciola il pane sulla tovaglia, non si gioca con la mollica, non si riduce il proprio posto come il piancito di un pollaio. Se, per qualche ragione, non si desidera mangiare la mollica, la si toglie pulitamente mettendola da parte. Mai nel piatto in cui si mangia.

La salsa nel piatto

Di regola, non si raccoglie la salsa rimasta nel piatto. Solo *in famiglia* è ammesso raccoglierla con dei pezzetti di pane, purché ci si serva della forchetta e non delle dita, e purché, procedendo a questa

operazione, non ci si comporti come se si passasse lo spazzolone della cera su un pavimento.

Il grape-fruit e il melone

Il *grape-fruit* (o pompelmo) viene servito preferibilmente d'estate, al posto del *consommé* freddo. Aperto in due, se ne serve una metà a ogni commensale. Apparentemente intatte, queste metà sono state invece staccate dalla buccia (esistono coltellini ricurvi per questa preparazione preliminare che va fatta in cucina) e divise a raggi in modo che non si incontrino difficoltà nello staccare ogni boccone. Il *grape-fruit* può essere servito in coppette di cristallo foderate esteriormente di ghiaccio tritato. Lo si mangia con un piccolo cucchiaio da dolce (o da caffelatte).

Il melone è un altro frutto estivo, graditissimo col prosciutto crudo. Lo si serve come antipasto, tagliato a grandi spicchi staccati dalle bucce, e adagiati su queste. Naturalmente, può essere servito anche come *dessert* ed esistono diversi modi appetitosi di presentarlo.

Carciofi e asparagi

I carciofi crudi si portano alla bocca con le dita. Per questa ragione nei pranzi formali non vengono serviti.

Quanto agli asparagi, in famiglia e tra amici è permesso mangiarli servendosi delle dita, ma nei pranzi formali sarà meglio usare la forchetta, a meno che la padrona di casa non dia l'esempio, mangiandoli nell'altro modo. In certe case, viene servita un'apposita posata a pinza scomodissima e generalmente poco gradita. Una volta il Principe di Galles (Edoardo VII) ricevette a pranzo certi Principi indiani ai quali vennero serviti degli asparagi. Era un piatto assolutamente nuovo per loro, ed essi credettero di cavarsela correttamente gettandone i gambi dietro le spalle. I camerieri allineati lungo le loro sedie resistettero impassibili a quell'improvvisa gragnuola e anche il Principe, per non mettere a disagio gli ospiti, fece altrettanto. Naturalmente, questo esempio non è da prendersi alla lettera, visto che dovrebbe essere sempre la buona educazione a imporsi a quella cattiva.

Gli uccelletti

Anche gli uccelletti e i piccioni, benché così gustosi, vanno banditi dai pranzi per non mettere in imbarazzo i commensali, data la difficoltà, per non dire l'impossibilità, di scarnirli con forchetta e coltello.

Il pesce

Ripeto: meglio non servire pesce se non si posseggono le posate indispensabili. In certi ristoranti, dove queste posate vengono raramente servite, si mangia il pesce con la sola forchetta e l'aiuto di un pezzetto di pane.

Le ostriche

Le ostriche si presentano già servite in ciascun piatto: esistono dei piatti speciali, divisi a scompartimenti, con uno spazio centrale riservato al limone. Le ostriche si mangiano con delle forchette piccole, a tre denti, che vengono apparecchiate a destra del piatto (anziché a sinistra come le forchette grandi). L'ostrica viene presa con la mano sinistra. Con la destra si prende la forchettina e si stacca il mollusco dal guscio.

Il formaggio

Normalmente lo si mangia col solo coltello e non, come molti credono, con l'aiuto della forchetta. Se ne taglia un pezzetto, lo si appoggia con il coltello su un bocconcino di pane e si porta il tutto alla bocca. Tuttavia, certi formaggi, come la ricotta, il mascarpone, e alcune specialità francesi, più somiglianti a *dessert* che a formaggio, vengono mangiati con la forchetta.

Il dolce

Il dolce si mangia con la forchetta se è solido, con il cucchiaio se è liquido. Ma generalmente ambedue le posate vengono apparecchiate a ciascun posto. Nell'incertezza, meglio preferire la forchetta al cucchiaio. In caso di necessità, ci si può servire di tutt'e due le posate, per spingere con la forchetta i pezzetti di dolce nel cucchiaio.

La frutta

Non si scelgono le frutta dal vassoio: si prende quella pera o quel grappolo d'uva che è più a portata di mano. *Pere, mele, pesche* devono essere tagliate in due o in quattro sezioni: ognuna di queste viene infilata nella forchetta e sbucciata col coltello. Se si divide un frutto con un altro commensale, gli si presenta sempre la parte del gambo. I *semi* d'arancia, i *noccioli* di ciliegia, di prugna, ecc. devono essere sputati nella mano chiusa a cartoccio e deposti nel piatto. *I noccioli delle frutta* cotte vengono sputati nel cucchiaio (o nella forchetta) appoggiato contro le labbra, e deposti sul bordo del piatto.

I *fichi freschi* vanno divisi in quattro parti, ma senza staccarle fra loro: la polpa viene sollevata col coltello e mangiata con la forchetta.

Le *banane* devono essere sbucciate con le dita e il coltello. Si mangiano con la forchetta.

L'*uva* viene presentata a piccoli grappoli, in modo da evitare a chi si serve la difficile operazione di dividere in due un grappolo troppo grosso.

Le arance possono essere mangiate in due modi: tagliate in due come i *grape-fruits* (in tal caso occorre mettere a disposizione del commensale lo zucchero in polvere), oppure sbucciate col coltello, tenendo il frutto nella mano sinistra. Se l'arancia si presenta "facile" gli spicchi vengono portati alla bocca con le dita. Se l'arancia è molto sugosa e matura la si mangia con la forchetta e il coltello.

Stuzzicadenti

L'uso degli stuzzicadenti è proibito alle signore, e sconsigliabile agli uomini. Se non sono in tavola, non si devono *mai* richiedere. Se ci sono, *si adoperano solo in caso di assoluta necessità*: in ogni modo se ne fa uso con discrezione, cercando di evitare smorfie, ma anche senza coprirsi con ostentazione la bocca con le mani o – peggio – col tovagliolo, il che servirebbe soltanto a far notare maggiormente ciò che si vuol far passare inosservato.

A nessuno – neanche al signore distrattissimo – è permesso alzarsi da tavola con uno stuzzicadenti fra le labbra come un sigaro, né tanto meno conservarne qualcuno nel taschino del gilet.

Precedenze a tavola

Il problema delle precedenze è delicato e spesso impossibile a risolversi: a volte, come ho già detto, è meglio sacrificare uno degli invitati, imbarazzanti, e rimandarlo a un prossimo pranzo. Sarà bene tenere presente che la suscettibilità, in materia di precedenza, è specialmente viva fra persone appartenenti alla medesima categoria o aventi la stessa posizione. In teoria, l'ordine delle precedenze dovrebbe essere stabilito esclusivamente in base alla posizione ufficiale degli invitati. I titoli nobiliari (non dimentichiamo che l'Italia è una Repubblica) non dovrebbero contare e non contano infatti nei ricevimenti ufficiali, dove si considerano anzitutto i titoli politici, ecclesiastici, militari, cavallereschi, ecc. Ma nella vita di società, non ci si regola necessariamente così e la mancanza di una regola fissa richiede da parte della padrona di casa molto buon senso, sensibilità ed esperienza. Per esempio, un anziano marchese dovrebbe, secondo le regole del nostro Cerimoniale, cedere la precedenza a un Consigliere d'Ambasciata. Non volendo offendere il primo, la padrona di casa si rimette alla comprensione del secondo e inverte i posti. Ma prima di passare in sala da pranzo trova il modo di avvertire il Consigliere che è la prima volta che invita il marchese, e che ha voluto perciò onorarlo particolarmente, oppure qualche altra giustificazione consimile.

Questa elasticità non può essere applicata nei confronti di personalità politiche (Ministri, Senatori, Deputati) né Alti Dignitari della Chiesa: a loro spetta, senza incertezze, la precedenza. Non si toglierà la precedenza a un Ambasciatore per darla, per esempio, a un insigne artista, a un illustre professionista; invece un giovane diplomatico o un marchese gliela cederanno di buona grazia.

Un ospite straniero ha sempre la precedenza sugli altri invitati (eccettuate le personalità che hanno diritto alla precedenza assoluta).

Il Nunzio Apostolico, il Capo dello Stato, un Sovrano (sia pure in esilio), un Principe Ereditario, un'Altezza Reale, hanno diritto di occupare a tavola il posto del padrone di casa.

Un'Altezza Reale ha la precedenza su un Cardinale e questi su un'Altezza Serenissima. La precedenza su tutti spetta al Nunzio Apostolico, che rappresenta il Santo Padre.

In linea di massima, la precedenza tra alti rappresentanti della Politica, della Giustizia, della Diplomazia, dell'Esercito, dell'Amministrazione, ecc. spetta ai primi, cioè ai rappresentanti della Politica.

Naturalmente, c'è un ordine di precedenze da seguire anche tra persone appartenenti alla stessa categoria, di cui si troverà uno specchietto (forzatamente semplificato) a pag. 250.

Il padrone e la padrona di casa quando ricevono un ospite eminente gli vanno incontro in anticamera. Quando l'ospite entra in salotto, gli altri invitati si alzano immediatamente. Nell'annunciare il pranzo, il domestico non si rivolge alla padrona di casa, ma a quell'ospite. Dirà « Sua Altezza (o Sua Eminenza, o Monsignore, ecc.) è servita ». Nel passare in sala da pranzo egli avrà la precedenza su tutti, comprese le signore. Sarà servito per primo e darà il segnale del ritorno in salotto appena la padrona di casa lo avrà pregato di

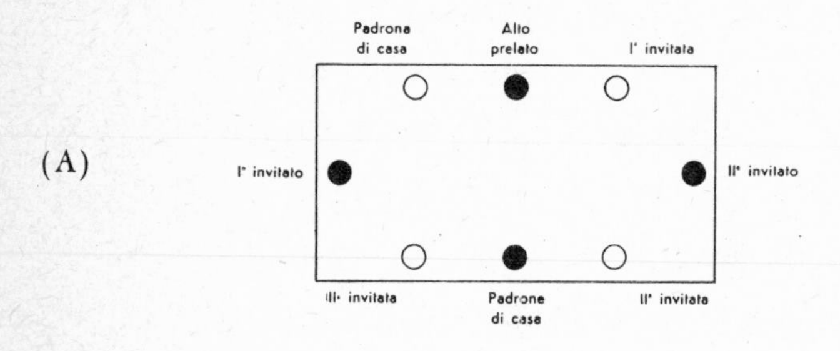

farlo. Quando sono presenti due Altezze Reali, marito e moglie, prima verrà servita lei, poi lui. Nessuno si accomiaterà prima del-

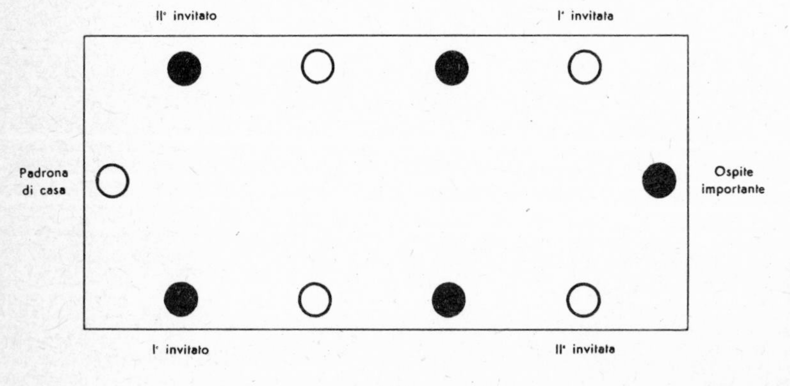

(B)

l'ospite eminente. A nessuno è permesso arrivare dopo di lui per il pranzo: *gli ospiti dovranno essere al completo al suo arrivo.*

È poco probabile che si debba ricevere il Capo dello Stato, un Nunzio Apostolico, qualche Monarca o Altezza Reale. Comunque se, per esempio, un Alto Prelato è stato invitato a pranzo, la padrona di casa gli cederà il posto a capo tavola e siederà alla sua destra (A).

E ora facciamo conto che una coppia di personalità, marito e moglie, venga invitata a pranzo: se la signora che riceve non ha marito, l'ospite eminente siede di fronte a lei, al posto del padrone di casa; avrà ai lati le due invitate più di riguardo (B). Se l'ospite eminente è una signora, avrà i due invitati maschi ai suoi lati e siede a capotavola. Di fronte avrà la padrona di casa se la disposizione di posti lo permette.

Nel caso che si debbano invitare due Altezze Reali, ecco la disposizione dei posti:

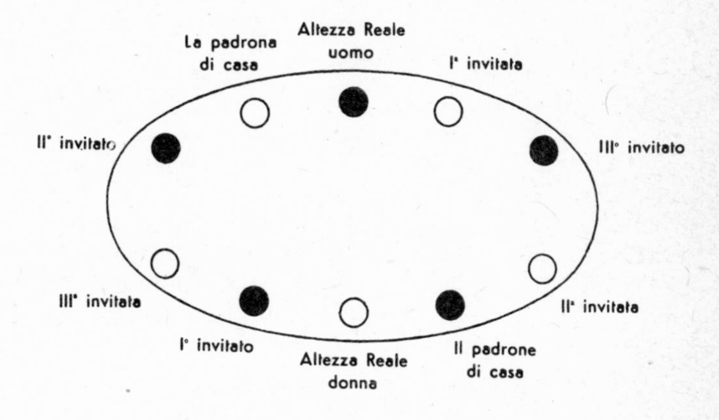

CAPITOLO X

IL TÈ

L'invito a un tè si fa per le cinque o le cinque e mezzo del pomeriggio, a voce, per telefono o con un biglietto scritto a mano. La signora che riceve veste come per una colazione elegante. Le amiche non si presentano con cappelli sensazionali, ma nemmeno in tenuta sportiva.

Il tè viene sempre offerto in salotto. L'aiuto di una persona di servizio non è obbligatorio. Un tè sovraccarico di *sandwiches*, paste e altri dolciumi, è sbagliato. Riuscitissimo, invece, se il tè sarà di ottima qualità e preparato secondo le regole, se la teiera non sarà di metallo né d'argento ma di porcellana o terraglia, se verrà offerto un "*plum cake*" o una buona torta fatta in casa, oppure ordinata in una pasticceria, se le tartine di pane di segala saranno sottili e spalmate di pasta di acciughe mescolata a burro, se a qualche dolcino e biscotto farà compagnia una crostata leggera, di fragole o mele. *Chi ha una donna di servizio* si regola così: dopo un quarto d'ora o mezz'ora dall'arrivo delle invitate, la cameriera spinge in salotto il carrello con le tazze preparate sui piattini da dolci (tra sottotazza e piattino ci sarà un piccolo tovagliolo). Avvicina il carrello alla padrona, la quale versa il tè passando a mano a mano le tazze alle invitate. Nel frattempo, la cameriera va a prendere i vassoi delle tartine, del *cake* ecc., a meno che tutto questo non sia disposto sul piano inferiore del carrello, o su un secondo carrello. Può aiutare la padrona offrendo i vassoi una prima volta, poi si ritira, pronta a portare, al primo squillo di campanello, un secondo bricco di acqua bollente.

Se la signora deve far tutto da sé, il carrello (o il tavolino) deve essere già pronto in salotto all'arrivo delle visite. La signora ha un bollitore elettrico e prepara il tè conversando con le amiche.

Ecco come si prepara un buon tè: si butta un pizzico di tè nella teiera, aggiungendo subito un po' d'acqua bollente, in modo che il recipiente si impregni bene di quel profumo e si intiepidisca. Poi lo si vuota (rovesciandone il contenuto in una coppa), e si prepara la bevanda definitiva. È essenziale che l'acqua abbia incominciato a bollire nel momento in cui la si versa nella teiera. Non si riempiono subito le tazze, ma si lascia riposare il tè per tre o quattro minuti. Si offre, a scelta, latte *freddo* o limone tagliato a ruote sottili.

Se tra le invitate ci sono delle ritardatarie, non è necessario aspettarle: verranno servite appena arrivate. Poiché non tutti amano il tè, si può tener pronta anche una caraffa di succo di *grape-fruit* o di aranciata, d'estate; caffè o cacao, d'inverno.

Il tè *freddo*, ottimo d'estate, si serve così: si prepara un tè forte (un cucchiaino e mezzo per persona); lo si lascia in infusione cinque minuti; poi lo si versa in una caraffa passandolo da un colino. Si aggiungono una o più fettine di limone, zucchero e, volendo, qualche piccola foglia di cedrina. Poi lo si lascia raffreddare in frigorifero. Ottima ricetta per il tè estivo: lasciar macerare, per un'ora o più, alcune pesche tagliate a spicchi, con la buccia, nel tè già pronto e zuccherato in caraffa. Si mette tutto in frigorifero per due o tre ore. Si porta la caraffa così com'è, con le pesche, in salotto.

Tè con bridge

È obbligatorio essere puntualissimi a un tè con *bridge*. Il tè viene offerto all'arrivo degli invitati, prima di iniziare il gioco. Alla fine del pomeriggio si passano gli aperitivi con salatini, olive, patatine, ecc. La padrona di casa, o la persona di servizio, offre a ogni giocatore il bicchiere dopo avergli chiesto quale bevanda preferisce. Gli chiederà per esempio: « Martini, Carpano o *whisky*? ». Comunque farà in modo di distrarlo il meno possibile dal gioco.

Tè cerimonioso

Volendo, l'invito a un tè più impegnativo può essere fatto con un biglietto di visita sul quale la signora che invita aggiunge a mano qualche riga. Tuttavia, dato il carattere sempre confidenziale di queste riunioni, cui gli uomini raramente partecipano, alla formula secca dell'invito al *cocktail* si preferiranno poche righe più incoraggianti; per esempio: *"Sarei tanto felice di averla per il tè, giovedì prossimo".* Il tè non verrà servito in salotto, dato il numero degli invitati, ma in piedi intorno alla tavola da pranzo dove sarà stato preparato tutto il necessario. I pasticcini saranno di parecchie qualità. Si aggiungeranno una o due torte o crostate. Salatini e tartine dovranno essere più variati che per un tè normale.

COCKTAILS

L'invito a un *cocktail* viene fatto con una settimana o dieci giorni di anticipo. Per telefono, se gli invitati non sono più di una ventina. A mezzo di un biglietto da visita, se la superano di poco. Con un cartoncino stampato, se si tratta di un ricevimento in grande. Scegliendo la seconda soluzione si aggiungerà a mano, su un normale biglietto di visita, la parola "*cocktail*" con la data e l'indirizzo. Scegliendo la terza soluzione, si fanno stampare dei cartoncini come questi:

ANTONIO e LIANA MARTINI
IN CASA
sabato 7 marzo (a mano)
Dopo le 19 Via Archimede, 106

Oppure:

LA BARONESSA SALVI
PREGA *la signora Giannini* (a mano)
DI VOLER VENIRE DA LEI
venerdì 3 novembre (a mano)
Dopo le 19 Villa Salvi

Non si aggiunge mai a questi inviti la sigla S.P.R. Gli inviti ai *cocktails* hanno un tono molto elastico. Ci si può andare, non andare, trattenercisi pochi minuti o per tutta la durata del ricevimento. Chi non può intervenire, tuttavia, si giustificherà con la padrona di casa. I *cocktails* sono i ricevimenti più affollati e denigrati: una specie di snobismo vuole che chi più li frequenta più li dichiari insopportabili. Può accadere di sentirci invitare con queste parole: « Carissima, vuol venire da me sabato sera per un barbosissimo *cocktail*? ».

I *cocktails* servono generalmente a restituire con una sola infornata tutti gli inviti ricevuti nella stagione. Servono, in molti casi, a farsi vedere e a farsi notare dalle anfitrione più in vista, che spesso scelgono in quelle riunioni i commensali dei prossimi pranzi.

Ed ora, ecco come si prepara la casa per un *cocktail*. Il centro del salotto viene sbarazzato di tavolini, poltrone ecc., in modo che ci sia più spazio libero possibile: ai *cocktails* non ci si siede, si passa di gruppo in gruppo, sempre in piedi. Il *buffet* viene allestito in sala da pranzo: la tavola, è ricoperta da un'elegante tovaglia sulla quale si allineano i vassoi con i *sandwiches*, salatini, ecc. Sulla *desserte*, le bibite e i bicchieri. Due camerieri sono indispensabili per un *cocktail* di venti persone. Per procurarseli basta rivolgersi a una buona pasticceria o a un albergo di lusso. I *cocktails* si offrono già preparati. Un cameriere circola tra gli invitati con un vassoio carico di bicchieri: ogni ospite ha la scelta tra due bevande alcoliche (*champagne-cup* e *Martini* per esempio) e una non alcolica (*grape-fruit* o *sugo di pomodoro*). I *cocktails* dovranno circolare continuamente, perché a nessuno venga il sospetto che i padroni di casa abbiano lesinato sulle bottiglie.

Un altro cameriere offrirà, oltre ai soliti *sandwiches,* pizzette calde e piccoli *vol-au-vents*, tolti dal forno al momento di servirli.

Cómpito dei camerieri sarà anche quello di vuotare continuamente i posacenere e ritirare i bicchieri già usati. Anche per tutto ciò che riguarda il bar e il *buffet*, ci si può rimettere completamente a un albergo o a una buona pasticceria.

Se, invece, si invitano pochi amici per un "*drink*" (la parola *cocktail* in questo caso suona troppo grandiosa), il padrone di casa prepara da sé i *cocktails*, proponendo agli amici le diverse bevande. Per esempio: « *Martini? Whisky? Sherry?* » ecc. Potrà aiutarlo sua moglie o la persona di servizio, offrendo via via i bicchieri. Se il bicchiere lo offre la signora, lo darà da mano a mano, semplicemente. Se lo offre la cameriera, deve appoggiarlo su un piccolo vassoio. I *sandwiches*, i salatini, ecc. saranno disposti su un tavolino accanto alle poltrone: ognuno si servirà a suo piacere. Le pizzette calde verranno portate dalla cameriera.

Nel mobile bar

La signora bene attrezzata avrà sempre a disposizione nel mobiletto bar:

Una bottiglia di Carpano
Una bottiglia di Campari
Una bottiglia di Martini (secco)
Una bottiglia di *anisette*
Una bottiglia di *cognac*

Una bottiglia di *gin*
Una bottiglia di *whisky*
Una bottiglia di rabarbaro per chi non beve alcoolici (da servirsi allungato con un po' di spremuta di limone, ghiacciata)

Potrà anche avere in soprappiù:

Una bottiglia di sherry (jerez), da servirsi in sostituzione del Carpano e Campari.
Una bottiglia di menta (pippermint)
Avrà anche una scorta di biscottini da *cocktail* e di mandorle salate.

Nel FRIGORIFERO terrà sempre qualche bottiglietta di succo di pomodoro (che facilmente le signore preferiscono all'aperitivo), qualche barattolo di succo di pompelmo o ananasso da servirsi a fine serata, allungato con un po' d'acqua. E infine qualche bottiglietta di *soda* o per lo meno una bottiglia di acqua minerale per allungare il *whisky*.

Prima di colazione la signora propone ai suoi ospiti "un Carpano o uno *sherry* o un succo di pomodoro". Prepara il Carpano nello *shaker*, allungandolo di un quarto col Campari e aggiungendovi due o tre rotelle d'arancio (buccia compresa) che renderanno più profumata la mistura. Il tutto sarà offerto ben ghiacciato. Lo *sherry*, invece, si offre senza ingredienti (ma può servire per una buona varietà di *cocktails*). Il succo di pomodoro può esser servito semplice, così com'è, o, più comunemente, allungato con *vodka*, o un po' di limone e spruzzato di pepe rosso e sale. La sera si offre di preferenza un Martini secco (in inglese dry) preparato nello *shaker* con del *gin* e dei cubetti di ghiaccio. In ogni bicchiere si può aggiungere una scorzetta di limone. Nei paesi anglosassoni si calcola tre quarti di gin per un quarto di Martini. Più ragionevolmente, da noi ci si regola al contrario, a vantaggio del fegato per il quale il *gin* è dannoso. Oltre al Martini, la sera, si può offrire per aperitivo (specialmente se ci sono degli uomini) del *whisky*. In ogni bicchiere (grande) si versano due dita di *whisky*, si aggiungono due blocchetti di ghiaccio e si chiede all'ospite se desidera il *whisky* "puro" o allungato. In quest'ultimo caso si aggiungono altre due dita di *soda* o di acqua minerale, o meglio ancora di seltz.

Dopo il caffè e MAI PRIMA, si offrono i liquori. A fine serata le spremute ghiacciate.

Ecco, ora, per le mie Lettrici più abili, alcune ricette di *cocktails*.

Ricette per cocktails

Tutte *le misure contrassegnate con l'asterisco* si riferiscono al "misurino" che serve per preparare i *cocktails*.

BALTIMORA

1/2 shaker *di ghiaccio, 1/2* anisette, 1/2 cognac, 1 chiara di uovo.*

Mettete il ghiaccio nello *shaker*, aggiungete gli altri ingredienti, tappate e agitate bene.

BRONX

1/2 shaker *di ghiaccio, 1/4* vermouth* (Martini), *normale, 1/4* vermouth secco (dry), gin secco, 1/4 succo di arancia.*

Agitate bene e versate nei bicchieri.

DEAUVILLE

1/2 shaker *di ghiaccio, 4/5* gin secco, 1/5* succo di limone, 1 cucchiaio di sciroppo di zucchero, 1 scorzetta di limone.*

Agitate con il ghiaccio e servite.

DIPLOMATICO

1/4 di shaker *di ghiaccio, 2/4* vermouth secco (dry), 1 scorzetta di limone, 1/4* vermouth normale, 2 ciliegine sotto spirito, 1/4* succo di ananas.*

Mettete il ghiaccio e gli altri ingredienti nello *shaker*, agitate e servite con una ciliegina.

FLORIDA

1/2 shaker *di ghiaccio, 1/3* bitter, 1/3* succo di limone, 1/3* succo di arancia, 1 schizzo di sciroppo di zucchero, 1 scorzetta di limone, 2 ciliegine sotto spirito.*

Sbattete bene nello *shaker*, passate dal colino e servite con una ciliegina.

GIBSON

1/3 di shaker *di ghiaccio, 1/3* vermouth dry, 2/3* gin, 1 scorzetta di limone o una cipollina.*

Agitate energicamente nello *shaker* e servite, mettendo in ogni bicchiere una scorzetta di limone oppure, se volete, una cipollina.

HARRISON

1/2 shaker *di ghiaccio, 2/3* gin, 1/3* succo di limone, 1 cucchiaino di zucchero, 1 schizzo di amaro angostura.*

Agitate bene e versate passando dal colino.

HEART'S DELIGHT

1/2 shaker *di ghiaccio, 1/3* vermouth normale, 2/3* rhum, 1 schizzo di amaro angostura.*

Versate tutto nello *shaker* ed agitate qualche minuto, quindi passate dal colino e servite.

IDEAL

1/2 shaker *di ghiaccio, 1/4* vermouth secco (dry), 1/4* succo di pompelmo, 2/4* gin, 3 gocce di amaro angostura, 1 cucchiaio di sciroppo di zucchero, 2 ciliegine sotto spirito.*

Agitate con il ghiaccio e servite con le ciliege.

KISS-ME-QUICK

1/2 shaker *di ghiaccio, 2/5* vermouth secco (dry), 3/5* cognac, 3 gocce di amaro angostura.*

Agitate qualche minuto e versate nei bicchieri.

MANHATTAN

1/2 shaker *di ghiaccio, 1/2* whisky, 1/2* vermouth secco (dry), 1 schizzo di amaro angostura.*

Agitate bene con il ghiaccio, colate e servite.

DRY MARTINI

1/4 di shaker *di ghiaccio, 2/3* gin, 1/3* vermouth secco (dry), 1 scorzetta di limone.*

Agitate pochi minuti e servite.

Montecarlo

1/2 shaker *di ghiaccio, 2/3* whisky, 1/3* benedictine, 1 schizzo di amaro angostura.*

Versate nello *shaker*, agitate e servite.

White lady

1/2 shaker *di ghiaccio, 3/5* cointreau, 1/5* crema di menta bianca, 1/5* cognac.*

Mettete tutti gli ingredienti nello *shaker*, agitate bene e colate nei bicchieri.

Zanzibar

1/2 shaker *di ghiaccio, 1/3* cognac, 1/3* vermouth normale, 1/3* vermouth secco (dry), 1 spruzzo di cointreau, 1 spruzzo di succo di limone.*

Agitate bene con il ghiaccio e colate nei bicchieri.

Bibite (ricette per 8 persone)

All'arancia

8 arance spremute, 4 limoni spremuti, 8 cucchiai di zucchero, 2 arance tagliate a fettine, 8 cubetti di ghiaccio, 2 litri d'acqua.

Passate da un colino il succo delle arance e dei limoni, mettetelo in una caraffa, aggiungete lo zucchero e l'acqua e tenete in frigo un'ora. Al momento di servire, aggiungete le fettine di arancia ed i cubetti di ghiaccio.

All'ananas

1 scatola da 1/2 litro di succo di ananas, 1 scatola da 1/2 litro di succo di pompelmo, 50 gr. di zucchero, 1 litro di acqua.

Mettete tutti gli ingredienti in una caraffa e tenetela in frigorifero per un'ora. Se volete, al momento di servire potete aggiungere dei pezzetti di ananas sciroppato in scatola.

Al pompelmo

1 scatola da 1 litro di succo di pompelmo, 50 gr. di zucchero, 1 arancia tagliata a fettine, 1 litro di acqua.

Procedete come nella prima ricetta.

Cups

Allo champagne

1 bottiglia di champagne, 1 bottiglia di seltz, 3 bicchierini di cognac, frutta di stagione, 2 limoni, 50 gr. di zucchero.

Sbucciate le frutta, tagliatele a dadini e mettetele in una grande coppa con lo zucchero e il succo dei limoni. Aggiungete lo *champagne* e il *cognac* e mettete in frigo. Al momento di servire aggiungete il *seltz* gelato.

All'arancia

1 scatola di succo di arancia, il succo di 1 limone, 1 tazza di sciroppo di zucchero, 2 bicchierini di liquore di albicocca, 1 arancia a fettine, acqua e soda fredde, 1 blocco di ghiaccio.

Mettete il blocco di ghiaccio in una grande coppa, aggiungete il succo di arancia e di limone, dolcificatelo con lo sciroppo e riempite la coppa con egual quantità di acqua e di soda. Decorate con fettine di arancia.

Punches

Freddo al tè

3/4 di litro di tè caldo, 1 bicchiere da vino di rhum, 1 bicchiere da vino di cognac, 3 cucchiai di zucchero, la buccia di 1 limone, 1 blocco di ghiaccio.

Grattugiate la buccia del limone e mescolatela allo zucchero. Mettetelo nel tè appena fatto e colato, e mescolate bene. Lasciatelo riposare finché sarà freddo, poi colatelo ed aggiungete il *rhum*, il *cognac* e il ghiaccio.

Caldo al rhum

8 bicchierini da liquore di rhum, 8 cucchiai di zucchero, 8 scorzette di limone, acqua bollente.

Preparate il *punch* caldo direttamente nelle tazzine di vetro. Mettete prima lo zucchero, poi la scorzetta, il liquore e da ultimo l'acqua bollente. Potete sostituire il *rhum* con *cognac* o liquore al mandarino.

Blocco di ghiaccio fiorito

Acqua, ciliegine sotto spirito, cedro candito.

Mettete a gelare in una piccola teglia, quadrata o rotonda, uno strato d'acqua alto 5 cm. Quando è duro, decoratelo con listerelle di cedro e di ciliegine, poi coprite con un leggero strato d'acqua e fatelo gelare. Aggiungete ancora un po' d'acqua e fate gelare fino al momento di mettere in ghiaccio nella vaschetta del *cup*.

CAPITOLO XI

OSPITI IN CASA

La camera da letto, anzitutto, dovrà essere in ordine, accogliente, rallegrata da fiori freschi. Armadio comodo, cassetti a sufficienza, foderati di carta pulitissima. Nell'armadio, grucce in abbondanza. Sullo scrittoio, carta da lettere, cartoncini, buste, penna e calamaio. Nella stanza da bagno, due asciugamani, uno di lino e uno di spugna, un accappatoio o un lenzuolo da bagno. Sul lavabo un sapone intatto; non mancheranno, se si vuol fare le cose proprio a modo, il talco e l'acqua di Colonia.

La padrona di casa

All'arrivo dell'ospite, la padrona di casa gli andrà incontro, l'accompagnerà alla camera che gli è destinata e, senza aver l'aria di sollecitare elogi, gli mostrerà tutto: interruttori, armadi, bagno. Chiamerà la cameriera che dovrà occuparsi di lui e dirà: « Ecco Rosina che è a sua disposizione per tutto ciò che le occorre ». E Rosina avrà pronto un sorriso. Si chiederà all'ospite a che ora desidera essere svegliato, e che cosa preferisce per colazione. Risponderà probabilmente: « Quello che prendete voi ». Lo si inviterà a scegliere tra caffelatte, tè, cioccolata. La colazione gli verrà servita in camera, a meno che non si tratti di qualche amico di casa che potrà, se tale è la consuetudine della famiglia, far colazione con tutti in sala da pranzo.

Esauriti i primi convenevoli, si conduce l'ospite in salotto per un tè, un caffè, un aperitivo, secondo l'ora. Nel frattempo, la solerte Rosina gli apre le valigie e ripone ogni cosa nei cassetti. Ho scritto "la solerte" e insisto su questo aggettivo, perché caso mai non lo fosse meglio lasciare che l'ospite faccia da sé, poco dopo, quando si ritirerà in camera per rinfrescarsi e riposarsi.

L'ospitalità perfetta, come ognuno sa, è quella che lascia all'invitato piena libertà di disporre delle sue giornate. Certe signore riescono ad attrarre nelle loro ville di campagna personaggi più o meno celebri con il miraggio, appunto, della solitudine e della pace perfetta. « Venga da noi caro Maestro, nessuno la disturberà, potrà riposarsi, e magari rimanersene in camera a scrivere l'intera giornata! » Il Maestro abbocca. Il miraggio svanisce. La casa è un viavai di ospiti, ricevimenti, gite collettive, merende, *bridges*, tutto in onor suo, tutto per esibire lui, l'amico celebre preannunciatissimo. Al malcapitato non rimarrà che una via d'uscita: quella del finto telegramma di richiamo in capo a due giorni. Nessuno ci crederà; naturalmente il commiato sarà freddino, e tanto peggio per i padroni di casa.

Ma sbaglia ugualmente chi si comporta in modo del tutto opposto. « A casa mia », annuncia compiaciuta la signora all'ospite, che è appena arrivato, « ognuno fa quel che crede. » E dilegua, abbandonandolo in balìa di se stesso. Poiché a tali padroni corrispondono adeguate cameriere, il poveretto non troverà grucce nell'armadio, né asciugamani nel bagno; vagherà alla cieca nei corridoi alla ricerca della *toilette*, e all'ora del tè siederà sconfortato in un salotto semibuio e deserto. Non c'è da stupirsi se, passati due giorni, sopraggiungerà il solito telegramma a richiamarlo d'urgenza.

La padrona di casa ideale è quella che c'è senza esserci; che organizza tutto di dietro le quinte, sorridente, riposata, riposante. Grazie a lei, l'ospite si sente libero non già di sbadigliare, ma di scegliere tra diversi programmi quello che più gli aggrada: desidera fare una passeggiata solitaria nei boschi? Gli verrà indicata la scorciatoia più pittoresca. Preferisce una gita a F. dove c'è un'adorabile chiesa romanica? Per l'appunto, la signora deve fare delle commissioni in quella cittadina e sarà felice di accompagnarlo in macchina. Preferisce rimanere nella sua stanza a scrivere o a leggere? Faccia pure e si regoli per il tè come crede: suoni il campanello, se lo desidera in camera, o raggiunga i padroni in giardino dalle cinque in poi; ci saranno probabilmente anche i signori della villa accanto.

Se, troppo entusiasmato da un trattamento così delizioso, l'ospite

non accenna, scaduto il periodo previsto, a fare le valigie, la signora non muta d'improvviso i suoi modi. Non diventa sgarbata, ma ricorre piuttosto a qualche frase diplomatica. Per esempio: « Spero, Maestro, che non vorrà lasciarci prima di lunedì. Abbiamo invitato per domenica il professor Vanzetti che desidera da tempo conoscerla ». Se questa frase non vien capita e il Maestro risponde: « Si rassicuri, non ho nessuna fretta di partirmene », sarà lei a ricorrere al finto telegramma di qualche inesistente parente che si annuncia all'improvviso: « Desolata, Maestro, ma non disponiamo che di una camera per ospiti. » Probabilmente il Maestro non ci crederà e il commiato sarà freddino, ma questa volta tanto peggio per lui.

Simili inconvenienti possono facilmente essere evitati con qualche accorgimento al momento dell'invito. "*Sarei così felice*" scrive la signora prudente all'amica "*di ospitarti l'ultima diecina di agosto, visto che in quel periodo non ho la casa piena e potrei disporre di una bella stanza per te.*"

Oppure: "*Non so se la vita di campagna, forse un po' monotona, che noi facciamo, ti piace. Tuttavia se tu ci regalassi una settimana, ci faresti tanto felici...*" ecc.

L'ospite

L'ospite non si presenta a mani vuote. Se in casa ci sono dei bambini, porta un regalo a ciascuno. Altrimenti, una bella scatola di dolci alla signora, un libro d'arte, una scatola per le carte da gioco... Fiori no, ché in campagna abbondano e sarebbero superflui. Il regalo non sarà offerto immediatamente all'arrivo, ma appena aperte le valigie.

Quando gli viene chiesto cosa prende la mattina per colazione, l'ospite non dichiara: « Spremuta di pompelmo e yoghurt », ma assicura che gli vanno egualmente bene caffelatte o tè. La padrona di casa risponderà che anche per lei l'uno o l'altro non fanno differenza, e a questo punto l'ospite, che forse non ama il tè, per lo meno a quell'ora, dichiarerà la sua preferenza per il caffelatte.

Non è ammesso uscir di camera, passata l'ora del bagno, in bigudini e veste da camera. Il signore non si presenta in maniche di camicia in sala da pranzo. Adeguerà il suo abbigliamento a quello del padrone di casa.

Se la cameriera chiede quale abito debba essere stirato non se ne indicano tre o quattro, ma solo quello che si desidera indossare. Non si trasforma il bagno in una stanza da bucato stendendo ovunqui i *nylons* lavati. Meglio portare qualche capo di biancheria supplementare e metter via, man mano che ci si cambia, gli indumenti usati. Un paio di calze o di guanti potrà tuttavia essere lavato dall'ospite e steso sul porta-asciugamani. Se il soggiorno è prolungato e la cameriera chiede se si ha qualcosa da lavare, si può consegnarle camicia da notte, sottovesti, ecc. Ma sempre con moderazione.

L'ospite non bussa alla porta prima di entrare in salotto o in sala da pranzo. Bussa invece alla porta della stanza da letto dei padroni di casa. Non rimane a poltrire in camera, la mattina. Può chiedere in prestito un libro, oppure sceglierlo da sé nella libreria; ma non lo faccia sparire nella valigia anche se, al momento di andarsene, non ha finito di leggerlo. Sia sempre puntuale ai pasti. Si cambi la sera, per il pranzo. Non svuoti lo scaldabagno riempiendo la tinozza fino all'orlo. Spenga le luci quando esce dalla sua stanza. Non intervenga, parteggiando per l'uno o per l'altro, nelle discussioni tra marito e moglie. Non sbadigli se si annoia. Non racconti aneddoti scabrosi davanti ai bambini o ai domestici. Non costringa chi lo ospita a fare troppo tardi la sera, con la scusa che soffre d'insonnia e che in quel salotto si sta così bene. Non abusi delle sigarette disposte negli astucci in salotto. Non chieda da mangiare o da bere fuori orario. Non dia ordini ai domestici. Se gli accade di rompere qualche ninnolo, non ne nasconda i pezzi dietro un mobile; insista con la padrona di casa per rifonderle il danno. Naturalmente la signora si guarderà dall'accettare e – pur con la morte nel cuore – dichiarerà che non è il caso di preoccuparsi perché si tratta di cosa da nulla. L'ospite, allora, cercherà di acquistare un oggetto di egual valore o si sdebiterà con un adeguato mazzo di fiori o una elegante confezione di dolci, accompagnata da un biglietto di scuse.

Mance

Al momento di andarsene, sia generoso con la servitù. Mance laute, distribuite però con discrezione. Non aspetti che la signora sia presente per far scivolare del danaro in mano al cameriere: l'uno e l'altra ne sarebbero imbarazzati. La cuoca, che non appare mai, non verrà dimenticata, e nemmeno l'autista.

Lettere di ringraziamento

Tornati a casa, si scrive per ringraziare. "*Non ho parole, gentile Amica, per dirLe quanto la Sua ospitalità perfetta, deliziosa, ci ha incantati. Questa vacanza basterà a illuminare il lungo inverno che ci aspetta e ritornerà assai spesso nelle nostre conversazioni...*" ecc.
Oppure: "*Cara Maria, questa settimana è volata spaventosamente presto e non riesco a riabituarmi alla mia casa e alla città, dopo le delizie della tua accoglienza e la meravigliosa pace del vostro giar-*

dino. Grazie, grazie di tutto, mia cara, e ricordati che, se hai occasione di venire a Milano, sarò felicissima di ospitarti, sebbene possa offrirti soltanto una stanza qualsiasi in un appartamento non troppo comodo..." ecc.

La ragazza

"Cara signora Maria, questi quindici giorni sono stati una meravigliosa vacanza. Non parlo d'altro da quando sono tornata, e a casa tutti ormai conoscono per filo e per segno ogni ora della mia villeggiatura. Spero tanto di non averLa stancata: so di essere a volte troppo turbolenta e Lei è stata sempre così paziente e buona con me! Vorrei però poterLa convincere che tra i miei molti difetti non c'è quello dell'ingratitudine e che non dimenticherò mai la sua benevola e affettuosa accoglienza. La prego di volermi ricordare al Professore. A Titti e a Puccio mando un abbraccio; a Lei, signora Maria, i miei più rispettosi e grati saluti."

Il signore

"Cara Donna Elena, come ringraziarLa per la squisita ospitalità? Non ricordo, da anni, un week-end più incantevole. Merito della sua bella casa, della perfetta organizzazione, del lago, del sole... ma soprattutto di Lei che ha il dono rarissimo di crearsi intorno tanta armoniosa serenità. Grazie ancora, e creda a tutta la mia devozione."

CAPITOLO XII

PERSONALE DI SERVIZIO

La signora tra i domestici

Dai rapporti tra padrona e personale di servizio dipende, a volte, l'armonia dell'intera famiglia: una cameriera scontenta e musona può esser rovinosa tanto per i soprammobili, quanto per il sistema nervoso della signora. E una cuoca irritata può esser disastrosa per il bilancio della spesa e per lo stomaco dei padroni. La signora farà dunque di tutto perché in guardaroba e in cucina regni un'atmosfera serena, e tanto per cominciare darà lei il buon esempio: ordinata, le sarà più facile esigere ordine. Attiva, potrà pretendere che il lavoro venga alacremente sbrigato. Affabile e comprensiva, sarà circondata da volti lieti e incoraggianti. Non sussiegosa, ma nemmeno troppo familiare, serbi confidenze e sfoghi per le amiche, altrimenti non avrebbe il diritto di sorprendersi se, durante un ricevimento, la domestica interloquisse nella conversazione generale, oppure se le rispondesse da pari a pari il giorno in cui venisse redarguita. Non dimostri soprattutto, un carattere incoerente: non faccia come quella Lettrice della mia rubrica di cui riproduco qui un brano di lettera: "*...Ho cambiato sette domestiche in due mesi e mezzo. Non so più a che Santo raccomandarmi, e sì che ho sperimentato tutti i sistemi. Pur di trattenere almeno l'ultima della serie, l'ho trattata volta a volta con bontà, intransigenza, affetto, distanza, indulgenza, severità... Nulla è valso: dopo quindici giorni si è licenziata anche lei*". Sfido io!

Se la domestica si ammala, la signora la cura con sollecitudine. A Natale e a Pasqua, quando tutti si scambiano doni, non mancherà un pensierino anche per lei. La "tredicesima" non le verrà allungata con malagrazia; si avrà la sensibilità di dargliene almeno una parte alcuni giorni prima di Natale in modo che anche lei possa fare i suoi acquisti per le feste.

È importante, nei piccoli appartamenti dove c'è una sola persona di servizio e lo spazio è limitato, che la domestica abbia ugualmente una stanza – anche se piccola e modesta – tutta per sé, dotata delle comodità indispensabili. Non si può pretendere che sia di buon umore e svolga volentieri le sue mansioni in una casa dove – anche se è trattata con affabilità – è però costretta a dormire su una branda di fortuna e a tenere i propri abiti in una valigia, perché non dispone di un armadio dove appenderli o di cassetti per la biancheria.

Se la sera i signori ricevono e la cameriera è costretta a coricarsi tardi, l'indomani le si concederanno due ore di riposo.

Naturalmente, nelle case in cui c'è solo una persona di servizio, la signora non pretenderà di farle sbrigare tutti i lavori che andrebbero altrimenti suddivisi tra cuoca, cameriera ecc. ma farà quanto è possibile per alleggerire i suoi compiti e per aiutarla nelle faccende domestiche.

La donna di servizio e la televisione

Chi ha una donna di servizio "fissa", privilegio sempre più raro, farà una cosa ragionevole mettendole in guardaroba o in camera un piccolo televisore supplementare in modo che prima o dopo aver rigovernato possa godersi anche lei qualche trasmissione. A meno che le si consenta di assistere in salotto alle trasmissioni che più la interessano, a patto naturalmente che si sia "in famiglia".

Dal canto suo la donna di servizio si comporterà con discrezione, astenendosi da qualsiasi invadenza.

Come si comporta la donna di servizio

La persona di servizio dovrebbe rivolgersi ai signori alla terza persona. Dire per esempio alla padrona: « *La signora desidera il caffelatte?* » E al padrone: « *Il signor avvocato torna a casa per colazione?* ». Ai figli dei padroni, dovrebbe dire: « *Il signorino* » e « *La signorina* ». Oppure « *signorino Mario* » e « *signorina Maria* ». Ma non si può pretendere che lo dica quando si tratta di bambini piccoli. In questo caso, alludendo a loro con i padroni, dirà: « *il bam-*

bino » e « *la bambina* ». La signora, dal canto suo, avrà il buon senso di non ordinare alla domestica: « *Assunta, va nella* nursery *a vedere se il signorino Totò è ancora sul vasino da notte* ».

A volte, le persone di servizio non sanno rispondere al telefono in modo corretto. A proposito di questo argomento, do un esempio di telefonate a pag. 203.

Cameriera e cameriere

Quando trilla il campanello, la *cameriera*, se è sola in casa, prima di aprire la porta non ringhia un sospettoso « Chi è? ». Oltre tutto, nessun male intenzionato si affretterebbe a chiarirle: « È Gigetto, lo Scassinatore ».

Se si tratta di un ospite, dopo un deferente « Buongiorno, signore », lo aiuta a togliersi il soprabito e lo precede fino al salotto, traendosi di fianco per lasciarlo entrare dopo avergli aperto la porta. Se si tratta di qualche visita inattesa e sconosciuta, gli chiede chi deve annunciare e si ritira con un prudente: « Vado a vedere se la signora è in casa ». Può darsi che il distinto visitatore risulti essere un rappresentante di polvere topicida. Pazienza: nell'incertezza, è meglio accogliere con eccessiva cortesia un modesto piazzista, piuttosto che rischiare di far aspettare sul pianerottolo un conte decaduto, o un professore d'aspetto "slabbrato".

Terminata la visita, appena l'ospite accenna ad alzarsi, la signora suona il campanello perché la persona di servizio lo riaccompagni. Lei si accomiata in salotto, ma suo marito, se è presente, lo segue nell'ingresso e si trattiene con lui finché non avrà indossato il soprabito. La cameriera non richiude la porta d'entrata prima che l'ospite non abbia disceso almeno una rampa di scale. Se c'è l'ascensore, glielo chiama, apre i battenti e provvede poi a premere il bottone. Se le vien data una mancia, l'accetta e ringrazia senza esaminarla.

Nelle case in cui si dispone di cameriere e cameriera, tocca al primo rassettare il salotto, la sala da pranzo, la biblioteca, insomma la parte di rappresentanza. Alla seconda spetta occuparsi delle stanze da letto e dei bagni. Il cameriere apparecchia la tavola, serve i piatti, li asciuga dopo che son stati lavati. Porta la prima colazione in camera al signore e, se necessario, lo aiuta a vestirsi. Risponde ai campanelli, al telefono. Cambia l'acqua ai fiori, vuota i posacenere, provvede al servizio del bar. Lucida le scarpe, pulisce i vetri e l'argenteria, passa la cera sui pavimenti.

La cameriera si occupa del guardaroba: stira, rammenda, lava la biancheria personale, rifà i letti e li prepara la sera. Serve la prima colazione alla signora e ai bambini, porta a ognuno gli abiti e gli accessori. Se ci sono ospiti in casa, appena questi escono dalle loro stanze, entra a metterle in ordine: verifica se c'è qualche vestito da stirare, qualche capo di biancheria da lavare. Non tocca le carte lasciate sulla tavola e, inutile dirlo, non legge le lettere lasciate in giro. Se c'è un ricevimento, la cameriera aiuta le signore a togliersi il mantello, eventualmente le accompagna alla *toilette* o nel *boudoir* della padrona. Durante il pranzo, aiuta nell'*office* il cameriere, a meno che la sua presenza non sia necessaria in sala da pranzo.

La cuoca

Alla *cuoca* spetta provvedere alla spesa e cucinare, oltre che per i padroni di casa, anche per la governante e il personale di servizio. Deve lavare i piatti, si occupa della pulizia della cucina, dell'*office* e della propria stanza da letto. Se il lavoro di cucina non è pesante e la famiglia è piccola, collabora ad altri servizi: per esempio, la pulizia dell'argenteria, dei corridoi, dei tappeti, ecc.

Certe signore che non possono permettersi cameriere e cameriera, preferiscono, dovendo scegliere, il primo alla seconda: un domestico in bella uniforme fa più figura, dà più "tono" di una donna di servizio. E così si sorvola su molti inconvenienti... Tempo fa, una nota e bella attrice assunse come "tutto fare" un giovane disoccupato che era stato in altri tempi "comparsa" a Cinecittà: alto e grosso, un concentrato tra Anthony Quinn e Carnera. Alle amiche che le chiedevano se non era imbarazzante, in certe occasioni, dover ricorrere a un domestico anziché a una domestica, rispondeva disinvolta che per lei le persone di servizio non avevano sesso e che le era perciò assolutamente indifferente girare svestita davanti a lui, e dirgli « avanti » quando era immersa nel bagno. Ma una certa sera l'intero caseggiato fu scosso dalle urla di « aiuto auito » che provenivano dal suo appartamento. Alcuni valorosi si precipitarono, sfondarono la porta d'entrata e corsero in camera dell'attrice che li accolse seminuda e scarabocchiata di sgraffi in un caos di mobili e soprammobili rovesciati. Balbettando indicò loro la finestra spalancata sul giardino e chi si affacciò fece in tempo a veder dileguare, oltre il cancello, il domestico in fuga.

Il maggiordomo

« Dimmi che maggiordomo hai e ti dirò chi sei » sentenziava Robert de Montesquieu, uno dei più sofisticati *dandies* del principio del secolo, e pare che il suo, di maggiordomi, fosse perfetto al punto di pettinargli lievemente i capelli ogni mattina prima di svegliarlo, affinché, appena aperti gli occhi, egli potesse dignitosamente incontrarsi con se stesso.

Un buon maggiordomo deve essere Ministro del Cerimoniale in

salotto, Direttore d'Orchestra in sala da pranzo e Generale in cucina.

Spetta a lui dirigere il personale. Ha la responsabilità dell'argenteria e dell'ordine della sala da pranzo e della biblioteca. Provvede ai fiori e compone eleganti centritavola quando la signora riceve. Risponde alla porta e al telefono. Trascrive il *menù* da mettere sulla tavola, se ci sono invitati. Quando è il momento del pranzo, annuncia che la signora è servita. Sorveglia il servizio, offre personalmente i vini. Più tardi, serve i liquori in salone. Durante il pranzo, non perde d'occhio la padrona di casa, pronto a interpretare ogni suo più piccolo segno.

Come vestono i domestici

Maggiordomo e camerieri devono essere sempre perfettamente rasati.

Il *maggiordomo* non porta guanti. La mattina, indossa giacca e cravatta nera, camicia bianca. Calze e scarpe, sempre nere. La sera indossa la marsina (senza la striscia sui pantaloni), *gilet* nero, camicia con sparato inamidato, cravatta a farfalla bianca. Potrà indossare, volendo, un secondo tipo di uniforme meno impegnativo: calzoni a righe come sopra, giacca corta nera, panciotto intonato, camicia morbida e cravatta nera.

Il *cameriere* porta al mattino, per sfaccendare in casa, una giacca accollata di tela rigata. Pantaloni e scarpe nere. Per servire la seconda colazione porta, normalmente, d'estate una giacca bianca, chiusa, e d'inverno una giacca di colore scuro: verde bottiglia, blu, marrone ecc. chiusa fino al collo da bottoni di metallo argentato o dorato, volendo con il monogramma o lo stemma della famiglia. Calze e scarpe nere. Guanti di cotone bianco. La sera, indossa giacca bianca e cravatta.

La *livrea*, che ripete nei propri colori quelli della famiglia, si addice solo a chi ha un tono di vita brillante: giubba in tinta, a coda, pantaloni intonati, panciotto a righe, bottoni con lo stemma o la cifra del cognome della famiglia, camicia a collo rigido, cravatta a farfalla bianca. Guanti bianchi, scarpe e calze nere. La livrea a calzoni corti, calze lunghe bianche, scarpe a fibbia, è di tono formalissimo.

La *cameriera* veste, la mattina, un abito di tela chiaro unito o rigato e un grembiule bianco. Per servire a tavola, all'abito di *satinette* nero oggi si preferisce quello, meno sgualcibile, di lanetta o popeline blu o grigio chiaro o scuro. Il grembiulino può essere bianco, di organdis o mussola, oppure nero di taffetà. La cresta e il civettuolo nastro d'organza non si addicono a tutte le facce: meglio non imporli a una sgraziata "tuttofare". Si esigerà piuttosto che porti i capelli raccolti in una leggerissima retina.

L'*autista* ha la responsabilità assoluta della macchina ed esegue eventualmente commissioni. Se i padroni fanno scarso uso dell'automobile, gli si possono affidare altri compiti in casa, ma è bene mettersi d'accordo su questo punto fin dal principio. Una buona padrona non tiene inutilmente il suo autista ad aspettarla per delle ore, la notte, davanti a un *dancing*, ecc. Se ha bisogno di lui fino a sera avanzata, il giorno dopo gli concede due o tre ore di riposo.

Chi non desidera adottare la classica livrea per il proprio autista, ripiega sul completo a *doppio petto grigio scurissimo*, camicia bianca, cravatta nera, calze, scarpe e guanti neri. Il berretto a visiera dovrà però completare l'insieme. Il cappotto sarà a due petti e intonato all'abito. Guanti scuri. D'inverno, pastrano a doppio petto intonato al completo. D'estate, la livrea può essere di lanetta, di grisaglia o di tela, con berretto a visiera intonato.

CAPITOLO XIII

RISTORANTE

Nell'entrare in un *ristorante*, il signore fa passare prima la signora, ma appena entrati la precede per farle strada. Se un cameriere si fa incontro per proporre un tavolo, la signora lo segue, seguita a sua volta dal signore. Raggiunto il tavolo, lei siede al posto migliore (generalmente quello che guarda verso la sala), e lui di fronte. Se si tratta di due coppie, le signore siederanno una di fronte all'altra (ma in Inghilterra se le due coppie sono sposate, la regola vuole che il marito sia seduto di faccia alla moglie). Se ci sono dei canapè a muro le signore siedono su questo, gli uomini sulle sedie. Se i commensali sono due, potranno sedere sul canapè, lei alla destra di lui.

La signora

Qual è *il comportamento della signora* al ristorante? Sceglie le pietanze del *menù* con l'aiuto del suo cavaliere. Non ostenta gusti difficili e sofisticati illudendosi che sia *chic*. E nemmeno passa all'estremo opposto chiedendo baccalà in umido in un ristorante di lusso. Incerta tra le due soluzioni, non adotterà una via di mezzo chiedendo fagioli al caviale o tagliatelle alla panna: un penoso silenzio accoglierebbe questa decisione. Si attenga al *menù* e alle possibilità del suo accompagnatore: se questi è di condizione agiata, accetti pure l'aragosta all'americana che il cameriere raccomanda, e nella scelta dei vini preferisca pure il Riesling al mezzolitro di Frascati. Altrimenti, la solita scaloppina, i saltimbocca con contorno o qualche altro piatto del genere. Comunque, una scelta troppo modesta, due uova al tegame per esempio, avvilirebbe il signore e il cameriere. Se è ghiotta di spinaci, ci rinunci: restano facilmente impigliati tra i denti e più tardi s'accorgerebbe guardandosi nello specchio di aver sorriso verde per tutta la serata. La cipolla (non parliamo dell'aglio!) profuma certe pietanze ma appesta l'alito: starà a lei decidere se le conviene sacrificare la seduzione alla gola. Il piccione è squisito, ma difficile da mangiare.

Il vino esalta lo spirito, dà splendore allo sguardo ma ne dà altrettanto, ahimè, al naso. Se durante il pasto viene a mancarle l'acqua o il pane, la signora non chiama il cameriere, né si rivolge direttamente a lui per essere servita, ma chiede al compagno ciò che desidera. Finito il dolce, le è concesso estrarre dalla borsetta portacipria e rossetto (in nessun caso il pettine!), purché nel compiere i restauri non scambi il tavolo del ristorante per quello della sua "toilette": non torcerà la bocca nel rifarsi le labbra, non incipirerà col piumino la macedonia di frutta dei suoi vicini. Al momento del conto sarà convenientemente distratta. Prima di alzarsi poserà il tovagliolo sulla tavola, senza piegarlo, badando che i segni di rossetto non siano in evidenza. E infine, se uscendo dal ristorante gratificherà chi l'ha servita di un sorriso e di un cenno del capo, dimostrerà di sapere che una vera signora è sempre affabile con i subalterni.

Il signore

E il signore? Prima di sedersi, aspetta che la signora si sia accomodata. Nella scelta delle pietanze proporrà le migliori, ma non insisterà per il petto di tacchino tartufato se lei invece preferisce una semplice *paillarde* di vitello (potrebbe darsi che seguisse un regime). Se ha poca competenza, chieda pure al *maître* quali sono i piatti più raccomandabili e li proponga alla signora. Non dimentichi di versarle il vino e l'acqua, se il cameriere è occupato altrove. Se lei non fuma, prima di accendere una sigaretta per sé, le chieda se non la disturba.

Se appare l'inevitabile fioraia, e non riesce, fulminandola con un'occhiataccia, a dirottarla verso altri tavolini, faccia buon viso a cattivo gioco: anziché accoglierla con un secco « no » che, per un attimo almeno, raggelerebbe anche la signora, compri il mazzetto che viene offerto e abbia, nel pagarlo, la forza di sorridere. E quando si avvicinerà il solito canzonettista, capitoli ancora, con buona grazia, e chieda alla signora qual è la canzone che preferisce.

Il conto verrà esaminato con assoluta impassibilità. Se è esagerato o inesatto, non si discuterà davanti alla signora. Tutt'al più, si farà chiamare il *maître* e gli si dirà: « Abbia la cortesia di esaminare il conto: ci deve essere un errore ». Il *maître* capirà a volo e quasi certamente il conto tornerà debitamente smorzato.

Invitare "fuori" gli amici

Una crisi domestica, l'appartamento troppo piccolo o modesto, la paura di non sapersela cavare, consigliano spesso chi si trova nell'obbligo di dare un pranzo, di riunire gli invitati in un ristorante. Ma anche l'invitare "fuori" comporta degli obblighi: la tavola deve essere fissata la mattina stessa o il giorno prima. Non si dimenticherà di raccomandare i fiori (che non si tratti del solito mazzolino sparuto, ma di un centrotavola disposto con grazia), e se chi invita è scapolo farà ottima impressione facendo trovare al posto di ogni invitata una *boutonnière* di gardenie.

Gli amici si radunano generalmente in casa di chi ha organizzato il pranzo, in un bar, o nel salone di un albergo. In attesa che siano tutti al completo, si offrono gli aperitivi. Passati dieci minuti dall'ultimo arrivo, l'anfitrione dà il segnale della partenza. Se l'appuntamento generale è stato fissato direttamente al ristorante, gli invitati devono arrivare *puntualmente* all'ora stabilita. Il signore che invita li avrà preceduti di dieci minuti per accertarsi che la tavola sia in ordine e predisporre i posti di ognuno; nulla di più deprimente che una disposizione decisa all'ultimo momento, esitante, sbagliata, corretta e ricorretta in mezzo all'ironica attenzione della sala. Se l'anfitrione non ha moglie, potrà assegnare il posto della "anfitriona", ossia quello davanti a sé, a una signora sola. Se chi invita è una signora sola, potrà regolarsi allo stesso modo, ma esclusivamente nel caso che lo scapolo destinato a sederle di fronte sia un vecchio o un parente.

Appena seduti, gli invitati scelgono sul *menù* ciò che desiderano. Chi invita può suggerire i piatti migliori; dovrà pensare anche ai vini. Se tutti hanno chiesto della carne, il solo vino rosso può bastare. Se qualcuno ha chiesto del pesce, dovrà esserci anche il vino bianco. E poi, naturalmente, l'acqua minerale. Se chi invita ha fama di buongustaio, il *menù* potrà essere stato deciso da lui in anticipo e d'accordo col *maître*. Si tratterà, naturalmente, di un *menù* perfetto. E i commensali si comporteranno come se si trattasse di un pranzo in una casa privata. Non dovranno, cioè, chiedere pietanze extra. Dopo il caffè, si offriranno i liquori. Il cameriere passa il vassoio con le bottiglie e ognuno sceglie quel che preferisce.

Il conto

Il conto non dovrà essere presentato al tavolo: se l'anfitrione è un cliente abituale del locale, gli verrà mandato a casa il giorno seguente, altrimenti egli si allontanerà un momento dal tavolo per recarsi alla cassa.

Il segnale della partenza, alla fine del pranzo, viene dato dalla signora che invita, o da quella che siede di fronte al signore che invita, oppure dalla signora alla sua destra. Ma questa regola non è inderogabile, e può capitare che le signore si alzino senza tenerne conto. Si spera, in questo caso, che la prima ad alzarsi *non* sia la più giovane.

Come si attraversa il ristorante

Se nell'attraversare la sala di un ristorante, una signora sosta al tavolo dove siedono persone di sua conoscenza, gli uomini si alzano, mentre le signore restano sedute, anche se avvengono delle presentazioni. È ovvio che, se fra esse c'è una ragazza, questa non seguirà la regola, ma si alzerà appena la signora la saluta.

Quando un signore sosta a un tavolo di amici, questi rimangono seduti. Ma se egli attraversa deliberatamente la sala per andare a salutare un amico, quest'ultimo si alza per stringergli la mano.

Se nell'attraversare la sala una persona che fa parte di una comitiva si ferma a salutare gli amici, gli altri proseguono verso il tavolo.

Un uomo non lascia mai sola la signora che accompagna, per fermarsi a salutare degli amici seduti a un tavolo: saluta passando.

Al momento di avviarsi all'uscita, si ringrazia, con un cenno del capo cameriere e *maître*: la mancia non dispensa dalla cortesia.

CAPITOLO XIV

SPETTACOLI

Teatro

Chi invita *a uno spettacolo* deve trovarsi (a meno che non si parta assieme) coi biglietti in mano all'ingresso del cinema o del teatro. Di regola, dovrebbe entrare nella sala dopo i suoi invitati, ma, poiché deve presentare i biglietti alla "maschera", è più opportuno che li preceda. Se i posti sono tutti nella stessa fila, si alterna un uomo a una donna: primo e ultimo della fila dovrà sempre essere un uomo; se il numero degli invitati non lo permette, due signore siederanno vicine. Due coppie, marito e moglie, si sistemano come segue: il signor Bianchi accanto alla signora Rossi. Segue la signora Bianchi e accanto a lei, il signor Rossi. I fidanzati hanno il diritto di stare vicini e non vanno divisi come le coppie sposate. Quando i posti sono separati, chi ha fatto l'invito siede accanto all'invitata, mentre il marito di questa siede con la signora che invita. Le coppie possono scambiarsi i posti dopo l'intervallo se due di questi sono migliori degli altri due.

Palchi all'Opera

Riguardo la disposizione dei posti nei palchi all'Opera non esistono due volumi di galateo che siano dello stesso parere. La figlia del Maestro Toscanini, Wally, che da anni ha il palco più celebre della Scala, se ha due invitate le dispone come segue: alla più importante dà la poltrona laterale che guarda il palcoscenico, all'altra la poltrona sul lato opposto. Per sé riserva la poltrona centrale, leggermente più indietro. Gli uomini siedono nel fondo del palco.

Se lo spettacolo è già iniziato all'arrivo degli ospiti, la signora che invita indica sottovoce i posti di ognuno.

Una volta, durante gli intervalli, le signore ricevevano nei palchi e, (dicono i romanzi dell'epoca), le conversazioni erano spesso in contrasto con i sorrisi e gli ondeggiamenti di ventaglio offerti a platea e loggione: "Che ve ne pare, marchese, di questo Elisir d'Amore?" "Divino, contessa!" (ma a bassa voce: "Perfida, ti ho attesa invano dalle cinque alle sette!") ecc.

Oggi le signore preferiscono, con il pretesto di sgranchirsi le gambe, farsi ammirare su e giù per il "ridotto" e se la settimana dopo qualche rotocalco riprodurrà una fetta almeno della loro persona, quello spettacolo verrà dichiarato il migliore della stagione.

Se nessuno degli invitati desidera uscire dal palco, anche chi invita rimane al proprio posto. Una signora non deve esser mai lasciata sola in palco: non basta che rimanga con lei un'amica. Uno dei signori farà compagnia ad entrambe anche se, occupate a scambiarsi confidenze, lo lasceranno relegato in un canto.

Come ci si veste a teatro

Per le prime all'Opera e per certe serate di gala a teatro, le signore vestono da sera. Gli uomini indossano lo *smoking*, più raramente il *frac*.

La signora terrà la pelliccia, o il mantello da sera. Sedendosi se lo sfilerà, appoggiandolo allo schienale della poltrona. Chi non possiede né pelliccia, né mantello da sera, potrà lasciare il soprabito al guardaroba.

A teatro la signora indossa una *princesse* elegante da pomeriggio o da mezza sera. Il cappello è ammesso, purché abbia proporzioni ragionevoli. Se il cappello di chi siede davanti disturba, si potrà chiedere con gentilezza che venga tolto. Se la signora rifiuta di levarselo, è meglio non sollevare una questione, mettendo a disagio i reciproci accompagnatori i quali si sentirebbero costretti a intervenire, ma avvertire piuttosto la "maschera" che dovrà provvedere al da farsi.

Alla "maschera" che accompagna gli spettatori ai posti viene data una mancia. Lo stesso vale per la signorina del guardaroba.

Al cinematografo

Se potessero vedersi, certe ragazze accompagnate da un "lui", quando nella sala cinematografica torna di colpo la luce! Spettinate, congestionate, bruttissime, fanno pena a guardarle e ci si vergogna per loro.

Dancing

Nei *dancings* si va a coppie o in comitiva. Se la comitiva è stata invitata da una coppia, lui inviterà a ballare per prima la signora più di riguardo, e pazienza se è vecchia e sgraziata. La moglie verrà invitata dal signore che le siede più vicino. Se la comitiva è in numero dispari, non si lascerà mai una signora sola al tavolo. Di volta in volta, una coppia rimarrà a farle compagnia. La signora non dovrà mai ballare con sconosciuti.

Se una tra le invitate balla meglio delle altre, i cavalieri non devono precipitarsi a contendersela all'inizio di ogni giro. Oltre tutto le farebbero maturare intorno un'atmosfera nociva di antipatia femminile. Se il giovane con cui balla non la lascia più tornare al tavolo, la signora potrà interrompere il giro con il facile pretesto che è stanca.

La signorina che non ama bere alcoolici non se ne vergogni. Chiedere un'aranciata non è una mancanza.

Una volta, si raccomandava alle signorine *per bene* di regolare la distanza con il cavaliere, in modo che tra di loro ci fosse sempre lo spazio di un biglietto da visita. Oggi, lo spazio di un biglietto di visita, in un *dancing*, non esiste nemmeno tra una coppia e l'altra: limitiamoci dunque a ricordare che un *cheek-to-cheek* troppo adesivo, registrato da un'intera sala da ballo, può essere fonte di infiniti pettegolezzi. Senza parlare di altre imprevedibili conseguenze: un'abbonata di "Grazia" mi scrisse una volta che in un *dancing* di Napoli le era stato presentato un signore di aspetto distintissimo che l'aveva invitata a ballare. Ballava bene ma stringeva molto. A un certo punto, le parve che esagerasse; si era messo a mordicchiarle un orecchio. Staccatasi bruscamente da lui, chiese di essere riaccompagnata al tavolo. Il signore ubbidì: si accomiatò con un gelido inchino, a labbra strette, e dileguò immediatamente dalla sala. La signora si toccò l'orecchio dolorante: un orecchino di smeraldi era sparito.

Serata musicale o artistica

Un musicista, un attore, o un cantante possono fornire il pretesto per un ricevimento, a patto, beninteso, che non si tratti di artisti mediocri: potrà trattarsi anche di una danzatrice esotica, ma più che mai dovrà godere di una fama sicura. Il salone dove si esibirà avrà ampie proporzioni, l'impiantito sarà stato convenientemente preparato e, soprattutto, non lucidato a cera, affinché non debba accadere quello che io stessa ho visto in un ricevimento – anni fa – a Roma: la ballerina, scaturita con un balzo leggero di dietro a un paravento, scivolò sul *parquet*, cadde all'indietro e attraversò la pista sdraiata sulla schiena, scomparendo come un razzo sotto l'alta poltrona di un'Altezza Serenissima al lato opposto del salone.

Se l'artista è un cantante o un pianista, ci si assicura che l'acustica sia buona, il pianoforte a coda in perfetto stato, e che ci siano sedie in numero sufficiente. Gli inviti stampati vengono mandati con una quindicina di giorni di anticipo. Possono essere redatti come segue:

CARLO E LUISA FERRARI
PREGANO
l'avvocato e la Signora Natali (a mano)
DI VOLER INTERVENIRE IL 3 MAGGIO A UNA SERATA MUSICALE SEGUITA DA BUFFET. CANTERÀ LA SIGNORINA IRMA BELLAVOCE ACCOMPAGNATA DAL MAESTRO GARBATI
Cravatta nera — Ore 22
S. P. R.

La retribuzione sarà stata fissata in anticipo, e verrà recapitata a casa dell'artista in busta chiusa, insieme a un biglietto di ringraziamento.

L'artista annuncerà ogni pezzo che si accinge a eseguire. Sarà, naturalmente, applaudito alla fine di ognuno anche se è colpevole di qualche stecca. Se la sua esecuzione è stata perfetta, non si manifesterà un entusiasmo da loggione

esigendo dei "bis". Comunque vadano le cose, gli applausi saranno cordialissimi, ma discreti.

Il concerto non dovrebbe durare più di un'ora e un quarto. Subito dopo, si passa in sala da pranzo per la cena (a tavolini o in piedi). L'artista viene complimentato da tutti e la padrona di casa pensa a presentarlo agli ospiti di maggior riguardo. Questi non si avventureranno in commenti troppo tecnici e precisi se non hanno una sicura competenza in materia; meglio in questo caso parlare di tutt'altri argomenti, più *terre à terre*, ma meno sdrucciolevoli.

CAPITOLO XV

ALBERGHI E VILLEGGIATURA

Giustamente persuasa che da una vacanza estiva possa fiorire l'agognato fidanzamento della figlia, la madre previdente prima di decidere la villeggiatura sottopone la sua ragazza a un lucido, spassionato esame. Ha le gambe stortine? Alta un metro e sessanta pesa ottanta chili? Montagna e gonne a campana. Ha le gambe affusolate e un busto da statua? Spiaggia e *bikini*. Ma anche su questo punto la madre accorta ha idee precise. Il reggiseno del "due pezzi" non avrà le proporzioni di un paio di occhiali da sole, e le mutandine non saranno così piccole da potersi confondere con una foglia di fico. La signorina protesta? Le verrà ricordato che l'immodestia, se attrae i mosconi, mette in fuga i partiti seri.

Il cliente

- *Né l'albergo né la pensione devono essere considerati come casa propria.*
- *Se un cartellino all'uscio della camera avverte che i ferri da stiro e i fornelli elettrici sono vietati, se ne farà a meno: nulla di più umiliante che far le cose di nascosto al personale di servizio e sentirsi pesare addosso la sua riprovazione.*
- *Se non c'è nessun cartellino ammonitore, non si abusa del permesso riducendo la stanza come un ambiente di sfollati.*
- *Non si circola in corridoio arruffati e in pigiama: la veste da camera è obbligatoria per tutti.*
- *Le scarpe vanno messe fuori dalla porta ogni sera, perché siano debitamente pulite.*
- *Gli indumenti da lavare e stirare devono essere consegnati alla*

cameriera. Il conto della lavanderia e della stireria in certi alberghi viene saldato alla consegna, in certi altri insieme al conto settimanale.

- *Tutto ciò che si trova nella camera e appartiene all'albergo dev'essere usato con la massima discrezione.*
- *Per essere sicuri di venire svegliati a una certa ora, si avvisa il portiere.*
- *Uscendo dall'albergo o dalla pensione, la chiave viene consegnata al portiere che l'appende nell'apposito quadro.*
- *Non si devono mai affrontare discussioni spiacevoli con le persone di servizio: qualsiasi osservazione va trasmessa al* concierge *che penserà a redarguire chi di dovere.*
- *Non si sveglia il telefonista o il* concierge *nel mezzo della notte per fare un'interurbana che potrebbe essere rimandata alla mattina seguente.*
- *La camera d'albergo non è un salotto. Si evitino dunque le riunioni di amici che possono benissimo essere ricevuti nella* hall. *Chi ha un apparecchio radio lo terrà "basso", specialmente nelle ore della siesta, e naturalmente, la sera.*

Nessuna mancia, per quanto generosa, varrà a modificare la disastrosa opinione del "personale" nei confronti del cliente che si pulisce le scarpe con gli asciugamani o con la coperta da letto, che lascia sparsi per la camera indumenti intimi in disordine, che getta mozziconi di sigarette in terra. L'etichetta "cafone" gli verrà bollata addosso e poiché negli alberghi le notizie volano rapidissime, in salone, in sala da pranzo, per il *concierge*, per il *maître*, egli sarà "il cliente cafone del terzo o quarto piano". Non si ribatta che l'opinione dei subalterni non conta. Conta moltissimo invece; per aver dato una rispostaccia a un maggiordomo, Vittorio Emanuele III, quand'era sedicenne, si buscò dal precettore una settimana di meritata clausura.

In albergo, poi, dall'opinione del personale può dipendere perfino l'avvenire della ragazza "da marito". « Chi sono i miei vicini di tavola? » domanda l'aitante ingegner Buonpartito al *maître* in sala da pranzo. « È una famiglia di Roma (o di Milano), così così... » E per via di quel "così così", laconico ma chiarissimo, l'ingegnere volgerà d'ora in poi la sua attenzione verso altre tavole più qualificate.

In sala da pranzo, all'ora dei pasti, ci si presenta puntuali e ben ravviati. Un cortese cenno di capo ai vicini di tavolo, e ci si siede. I ragazzi parlano a bassa voce e il meno possibile. Se Pierino, quattro anni, fa le bizze e con una cucchiaiata battuta nella scodella sventola la minestra in faccia ai genitori, non gli si molla un ceffone ma nemmeno si cerca con mille vezzi di persuaderlo che la pappa non è un tamburo: meglio, tutto sommato, trascinarlo fuori dalla sala e lasciarlo a meditare, in camera sua, le conseguenze di quel capriccio (del resto se Pierino fosse stato educato come si deve, non si sarebbe comportato così).

Finito il pasto, la famiglia lascia la sala da pranzo con il solito cenno di saluto ai vicini. La signora apre il corteo, il signore la segue e si spera che non abbia un orrendo stuzzicadenti penzoloni tra le labbra. Seguono compostamente i ragazzi.

Le conoscenze

Prima della siesta, e la sera dopo cena, è facile che i villeggianti si riuniscano sotto la pergola, o nel salone, a fare quattro chiacchiere. I gruppi si formano, le conoscenze si trasformano in simpatie, qualche volta in amicizie che possono durare una stagione, o tutta la vita. In questi approcci è raccomandabile molta cautela, per non trovarsi poi a dover fare imbarazzanti marce indietro: potrebbe darsi, infatti, che il signor Tal di Tali, italo-americano, così giovialone e sempre pronto ad offrire da bere a tutti, risultasse essere ex-socio di Al Capone. E fin qui poco male: ma potrebbe anche darsi che la giovane Carolina se ne fosse follemente invaghita, e allora le cose si complicherebbero davvero.

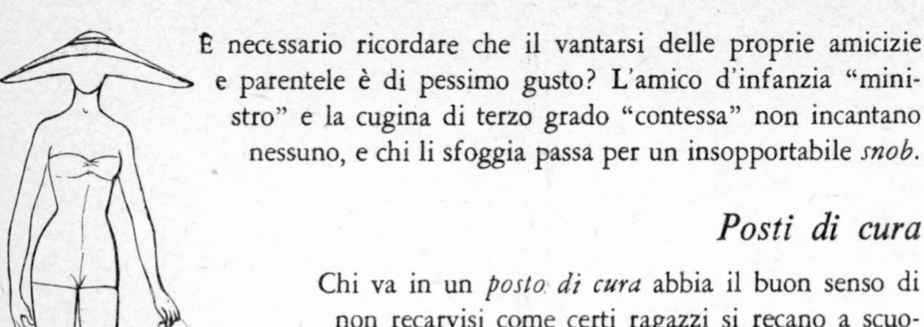

È necessario ricordare che il vantarsi delle proprie amicizie e parentele è di pessimo gusto? L'amico d'infanzia "ministro" e la cugina di terzo grado "contessa" non incantano nessuno, e chi li sfoggia passa per un insopportabile *snob*.

Posti di cura

Chi va in un *posto di cura* abbia il buon senso di non recarvisi come certi ragazzi si recano a scuola, e cioè con l'intenzione di farla in barba al professore. Chi trasgredisce alla dieta imposta dal medico reca danno solamente a se stesso e avrà buttato via, al momento di tornarsene a casa, parecchie decine di biglietti da mille per nulla.

Nei posti di cura ci si veste come in qualsiasi luogo di villeggiatura, secondo il tono dell'albergo. In generale, abiti sportivi fino all'ora del tè o dell'aperitivo serale, poi vestiti da pomeriggio elegante. In certe circostanze, abito da mezza sera.

Le mance

Al momento del commiato, la *mancia* è obbligatoria, anche se il servizio è compreso nel conto. Non si creda che per sdebitarsi basti regalare alla cameriera un vecchio costume da bagno e al facchino un paio di scarpe da tennis sfondate. (*È consigliabile, del resto, distribuire una mancia nei primi giorni, senza attendere il momento della partenza; ci si garantisce così un servizio più efficiente.*)

Ognuno riceverà un compenso proporzionato alla categoria dell'albergo e alla durata del soggiorno: un tanto alla *cameriera* che rifà la stanza, da dividersi con il *facchino* che l'aiuta, un tanto al *cameriere* che porta la prima colazione in camera, un tanto al *maître* (se si consumano i pasti in albergo), un tanto al *cameriere* della sala da pranzo e un tanto al *portiere*. Né si dimenticherà chi scarica e carica le valigie tra tassì e albergo.

Quanto si deve dare? Ci si regola secondo la categoria dell'albergo, le proprie disponibilità, il periodo trascorso in albergo, il lavoro chiesto al personale: si può calcolare approssimativamente una percentuale che va dal 10 al 20% sul conto. Si può lasciare una mancia globale al *bureau*, per il personale da cui si è stati serviti. Un grazie e un sorriso accompagneranno la mancia, modesta o lauta che sia.

Il barone James de Rothschild dette un giorno al vetturino che l'aveva portato a casa una mancia molto modesta. Il brav'uomo ci rimase male: « Signor Barone », obiettò, « lo sa che suo figlio per la stessa corsa mi dà sempre il triplo di quel che mi ha dato lei? ». « Non lo metto in dubbio », rispose il barone, « ma lui ha un padre ricco. »

Non so se questa battuta sia stata apprezzata quanto si meritava, né mi azzarderei a consigliare le mie Lettrici di supplire d'ora in poi alle mance con dei motti di spirito. Si tenga però sempre presente che più la mancia è modesta, più dev'essere offerta con affabilità. Se insisto su un fatto apparentemente ovvio è perché, all'atto pratico, chi soffre di allergia per le mance, anziché farselo perdonare elargendo almeno qualche parola gentile o un sorriso, assume d'istinto un'espressione glaciale e assente. D'altra parte, non si creda che sia di buon gusto distribuire a destra e a sinistra vistosi bigliettoni, come volantini *réclame*. Chi dà con esagerazione non sbaglia meno di chi dà con il contagocce. Se di quest'ultimo si dirà che è taccagno, del primo si dirà che è un pescecane. Il vero signore dà mance adeguate, nelle occasioni giuste e sempre senza ostentazione. Se ha passato il *week-end* in una villa di amici, non aspetta che questi siano presenti per allungare alla cameriera una banconota. E il giovane che "esce" con una ragazza, non assume, per sedurla, pose da magnate, sperperando in mance l'intero stipendio di un mese. La ragazza, dal canto suo, se un povero le tende la mano, non vi rovescia, commossa, il contenuto del borsellino, per far mostra di sensibilità. Tutte queste sono piccole truffe che non passano lisce e di cui, più tardi, a mente fredda e a conti fatti, ci si pente immancabilmente.

In linea di massima la mancia si dà:

1) *Al portiere di casa (per Natale, Ferragosto e – volendo – anche in altre occasioni).*
2) *Dal parrucchiere: a chi lava i capelli, alla* manicure, *a chiunque si occupa di noi.*
3) *Negli Istituti di Bellezza: all'inserviente e mai alla signorina estetista.*
4) *Nei ristoranti e nei bar al cameriere che ci serve, arrotondando il conto con una percentuale media che oscilla dal 5 al 10%.*
5) *Agli autisti di tassì, arrotondando la somma segnata dal tassametro.*
6) *Negli alberghi: alla cameriera del piano, al cameriere che porta la prima colazione in camera, al facchino, al* maître *(se si sono consumati dei pasti in albergo), al cameriere di sala, al portiere, al ragazzo dell'ascensore. Mai al cassiere. Le mance devono essere proporzionate al tono dell'albergo e alla durata del soggiorno.* (Vedi capitolo "Alberghi e villeggiatura" a pag. 155).
7) *Nei musei: all'inserviente che fa da guida.*
8) *Nelle scuole: ai bidelli, almeno per Natale o alla chiusura dell'anno scolastico.*
9) *Negli uffici, al fattorino di cui ci si serve abitualmente. Mai alle segretarie. Se i fattorini che si avvicendano nell'ufficio sono molti, per Natale e a Ferragosto si potrà consegnare al capo-usciere o al capo-portineria una busta con una mancia da dividere fra tutti.*
10) *A tutti i fattorini e ai postini che recapitano a casa pacchi, telegrammi e raccomandate.*
11) *In treno: nel vagone letto, al conduttore che accoglie il viaggiatore e non sale sul treno (lire cinquecento in prima classe, la metà in seconda). All'inserviente che viaggia sul treno (lire mille in prima classe, cinquecento in seconda). Nel vagone ristorante: al cameriere che serve il pranzo.*

12) *Dal dottore, dal dentista, dall'avvocato, da qualsiasi professionista che riceve su appuntamento: alla persona incaricata di aprire la porta e far accomodare il cliente.*

13) *In casa d'altri, se si è invitati a un pranzo importante, si può lasciare una mancia alla persona di servizio. È un uso, questo, specialmente diffuso nel Nord Italia, a cui conviene adeguarsi se ci si trova in quei posti.*

14) *In clinica* (vedi anche capitolo a pag. 214) *non si dànno mance alle infermiere, ma solo a chi è addetto alla pulizia della camera. All'infermiera si usa fare un regalo (carta da lettere, profumo, un* foulard *di seta ecc.). Se si tratta di una Suora sarà bene informarsi prima (rivolgendosi magari a uno dei medici assistenti) se le è consentito accettare qualche ricordo. Se la risposta è affermativa, si avrà il buon senso di scartare regali frivoli e inadeguati. Si potrà offrirle però una scatola di dolci, un portamonete, una cornicetta, un* nécessaire *da cucito, un ditale d'argento o una penna stilografica. Se l'Ordine vieta qualsiasi regalo, non rimarrà che ringraziarla con effusione. Si può lasciare un'offerta per la Cappella* (come ho suggerito nel capitolo "Nascita e Battesimo" a pag. 17).

CAPITOLO XVI

IN VIAGGIO

Treno

La signora che viaggia non invade lo scompartimento con un numero irragionevole di bagagli. Entrando nello scompartimento, inchina leggermente la testa. Che non debba incoraggiare i tentativi di conversazione del signore che le siede accanto o di fronte, è cosa risaputa. Ma essere riservata non vuol dire essere sgarbata. A chi s'informa se il fumo la disturba, risponde con cortesia. Se le si offre una sigaretta, ringrazia e risponde che preferisce le sue. Un atteggiamento educato le varrà un doppio vantaggio: quello di persuadere l'importuno che si trova dinanzi a una "vera" signora, e che perciò non ha nulla da sperare; e quello di potergli chiedere all'arrivo, con un improvviso smagliante sorriso, di aiutarla a tirar giù le valigie. Se la signora ha uno o più bambini le converrà cattivarsi l'atmosfera generale al momento di occupare lo scompartimento; sia subito gentilissima con tutti, e dimentichi che i suoi bambini sono i più belli e i più simpatici del mondo: per i compagni di viaggio non sono che un disastroso contrattempo. Se il signore che le siede di fronte le rivolge la parola, gli risponda pure. Meglio tenerselo amico: tra poche ore potrebbe darsi che Pierino gli rovesciasse l'aranciata sulle gambe. D'altra parte, lei non corre rischi: la presenza dei bambini costituisce sempre un'efficacissima difesa. È sempre opportuno provvedere questi ultimi di giocattoli, specialmente se il viaggio è lungo, ma si eviteranno ragionevolmente palle, pistole, e trombette. I passatempi più indicati, e graditi ai viaggiatori costretti a condividere lo scompartimento con dei ragazzi, sono i libri, le bambole, i *puzzles*. Se un bambino fa i capricci, è preferibile non provocare una tragedia davanti a tutti, ma accompagnarlo in fondo al vagone e lì, a quattr'occhi, fargli intender ragione.

Spuntino in viaggio

Se si desidera risparmiare la spesa della carrozza-ristorante, non si cerchi di persuadere i compagni che il cestino da viaggio è di gran lunga preferibile alla cucina del treno, perché « almeno si sa quel che si mangia ». Se lo spuntino è stato preparato a casa, si spera che non contenga pollo arrosto (appetitoso sì, ma così unto e complicato da mangiarsi sotto gli occhi degli estranei) né uova sode, forse non sode abbastanza, né pesche troppo mature, né arance dalla buccia troppo aderente e sottile.

Chi mangia le proprie provviste non è tenuto ad offrirle ai compagni di viaggio. Se qualcuno dovesse farlo, gli si risponde con un « no, grazie ». Caramelle e cioccolatini possono eventualmente essere offerti e accettati.

Vagone ristorante

La signora che entra nel vagone ristorante siede preferibilmente a una tavola occupata da una o più signore. Se non ha scelta, siede dove c'è un posto libero. Qualche parola col vicino è inevitabile: passaggi di sale, di formaggio grattugiato, ecc. Farà in modo che tutto ciò avvenga con naturalezza. Starà a lei decidere se a queste poche frasi potranno aggiungersene altre di tono generico. Se ha di fronte, o accanto a sé, una signora, potrà conversare con lei più liberamente. Tuttavia, non si lascerà andare a confidenze, né farà domande indiscrete. Se siede allo stesso tavolo di un signore di sua conoscenza, non accetterà assolutamente che egli paghi il conto. Potrà accettare solo se egli l'ha espressamente invitata *prima* di passare dallo scompartimento alla carrozza ristorante.

Se la signora non desidera vino, non si creda obbligata a ordinarne. Si limiti a chiedere dell'acqua minerale o una spremuta d'arancia: l'acqua pura non dev'essere mai chiesta in viaggio. Finito di mangiare, spetta alla persona che siede più vicino al corridoio di passaggio alzarsi per prima. Nell'accomiatarsi dai vicini, la signora china leggermente il capo.

Il signore che siede nel vagone ristorante accenna un inchino col capo se al suo tavolo sopravviene una signora. Si astiene dall'attaccar discorso se risulta chiaro che lei non desidera parlare. Non le versa l'acqua né il vino. Ma si serve dopo di lei degli ingredienti (sale, formaggio grattugiato, zucchero ecc.) apparecchiati sulla tavola. Rinuncia allo stuzzicadenti e, prima di accendere una sigaretta, chiede alla signora se il fumo la disturba. Se la risposta ha un tono incoraggiante le offra pure le sue sigarette, ma se ne ha solo un tipo scadente farà meglio a scusarsi con una frase pressappoco come questa: « Non oso offrirle di queste sigarette... ». Comunque, si tenga pronto a porgerle accendisigari o fiammiferi, se lei accenna a cercarli nella borsetta, o a chiederli al cameriere. Nell'accomiatarsi, saluterà con un leggero inchino.

Vagone letto

Se due persone si trovano a dover condividere lo stesso scompartimento, la più giovane invita la più anziana a scegliere la cuccetta che preferisce. Chi dorme nella cuccetta superiore si spoglia e si corica per prima. Nel frattempo, l'altra attende nel corridoio. Al mattino seguente, invece, sarà la persona che dorme nella cuccetta inferiore ad alzarsi per prima lasciando quindi la cabina all'altra. Al conduttore che ha preparato i letti, provveduto l'acqua minerale, il caffè, ecc., si dà all'arrivo una mancia (dalle cinquecento alle mille lire).

Aereo

Chi si accinge per la prima volta a prendere l'aereo non tema di mostrarsi ignorante e maldestro. Non avrà bisogno di fare domande: una affabilissima *hostess* gli spiegherà, con il tono paziente che si ha con i bambini, come agganciarsi la cintura di sicurezza intorno alla vita, come voltare verso di sé la "bocca d'aria" posta accanto alla lampadina, come servirsi del sacchetto di carta, caso mai si sentisse male. Più tardi potrà pranzare tenendo sulle ginocchia un vassoio di plastica guarnito di piattini da bambola, contenenti pietanze insipide ma gaiamente colorate. Il viaggiatore potrà tranquillamente accettare tutto ciò che gli viene offerto; cognac, caramelle, sigarette sono inclusi nel prezzo del biglietto.

Ci si accomiata dalla "hostess" con una stretta di mano, dei ringraziamenti, qualche frase gentile. In nessun caso le si dà una mancia. E tanto meno un appuntamento.

Per mare

La vita su un transatlantico è pressappoco la stessa che si conduce in un albergo di villeggiatura. Durante il giorno, si indossa una tenuta sportiva: prendisole d'estate, gonna con *pullover* d'inverno.

Le signore sottili o longilinee possono, in qualsiasi stagione, esibirsi in pantaloni, purché non si esageri nel tono "crociera": giacche gallonate, berretti a visiera si addicono più a una "passerella" di rivista che al ponte di un transatlantico.

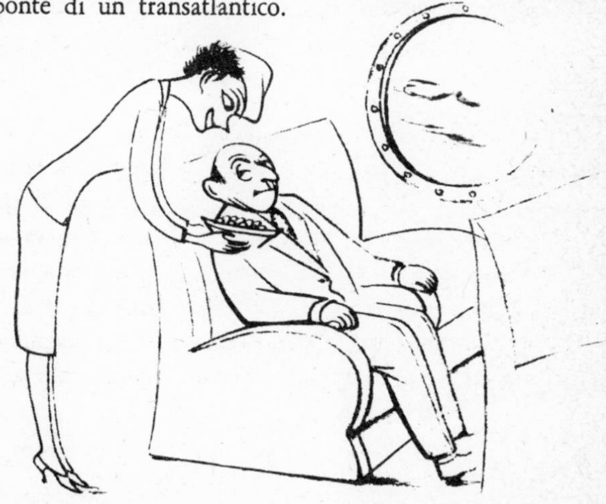

In prima classe, sulle grandi navi, la sera ci si "veste". Le signore, abito scollato, generalmente corto. Gli uomini cravatta nera, ossia *smoking*. Sempre escluso il *frac*.

Il cameriere di bordo si chiama *steward* (si pronuncia *stùard*). Allo *steward* addetto al ponte-passeggiata si chiede di fissare, per il periodo della traversata, l'indispensabile sedia a sdraio: infatti la posizione semi-allungata, l'esposizione arieggiata e nello stesso tempo riparata (sul ponte coperto), sono di grande aiuto per chi soffre di mal di mare. Inoltre, a breve distanza tra loro, le sedie a sdraio facilitano le conoscenze e permettono la conversazione. A bordo è ammesso attaccar discorso con una certa elasticità, presentandosi da sé, se occorre. Ma è ovvio che se la persona interpellata risponde a monosillabi non si insisterà. E un minimo di buon gusto tratterrà il commendator Mangiabue dall'invitare a pranzo al suo tavolo il duca di Newport, suo vicino di "sdraia", semplicemente perché questi gli ha chiesto l'ora.

Anche il tavolo nel salone ristorante dev'essere fissato al momento dell'imbarco. Se si temono le conseguenze del mal di mare, meglio scegliere un tavolino vicino all'entrata, anche se non è in posizione privilegiata. Può darsi che al passeggero che viaggia solo il *maître* proponga di condividere una tavolata di altre persone sole. Non è obbligatorio accettare. Ai passeggeri di particolare riguardo il Comandante propone di sedersi al suo tavolo. È un onore che si può rifiutare rispondendo che si soffre il mal di mare e che si preferisce perciò mangiare per conto proprio. Ma un pasto almeno, generalmente il primo, verrà accettato.

I passeggeri di seconda classe (classe turistica) hanno obblighi minori: le signore vestono come vogliono, ma la sera un abito da pomeriggio è consigliabile.

Pantofole, bigudini, giacche da pigiama, vesti da camera non devono oltrepassare il tratto tra cabina e *toilette*.

Chi divide la cabina con un altro passeggero non si accaparra subito il letto migliore: converrà stabilire fin dall'inizio dei rapporti di estrema cortesia. Lasci, dunque, la scelta al compagno, oppure gli esponga le valide ragioni per cui desidera occupare una cuccetta piuttosto che l'altra. Quando uno si lava, l'altro si assenta dalla cabina, oppure, se è a letto, si volta verso la parete. Prima di fumare, ci si informa se non si reca disturbo. Chi si corica tardi, entra senza far rumore in cabina e non accende la luce centrale. Ognuno tiene meticolosamente in ordine le proprie cose, non adopera né il sapone né gli asciugamani dell'altro.

Per le mance ci si comporta pressappoco come in un albergo. Verrà dato un compenso alla cameriera addetta alla cabina, al *maître* in sala da pranzo (che provvederà a spartire la cifra tra i camerieri), al *barman*, allo *steward* del ponte, della piscina, ecc.

Sui grandi transatlantici c'è generalmente una *hostess* (talvolta si tratta di un uomo) incaricata di facilitare le conoscenze tra i passeggeri, di intrattenere le signore sole, i timidi, ecc. In nessun caso le viene data una mancia. Se è stato necessario ricorrere al medico di bordo, retribuito dalla Compagnia di Navigazione, si può fargli avere, al momento dello sbarco, una busta con un minimo di cinquemila lire in classe turistica, di diecimila lire in prima classe.

Automobile

Facilmente chi ha appena preso la patente e si trova promosso dalla categoria dei pedoni a quella dei motorizzati, cambia di colpo carattere, così come succede di certi cani, mansueti e affettuosi finché vanno a piedi, e queruli e aggressivi appena si trovano nell'automobile del padrone. Ma il vero signore non si lascia stordire dal possesso di una macchina. Non scambia un'utilitaria per un'Alfa da corsa, assordando con lo scappamento aperto i passanti e terrorizzandoli con sterzate stridenti come ha visto nei film polizieschi. E la signora non strombetta irritata se un pedone esita nell'attraversare: se lei ha fretta, lui ne ha forse altrettanta, senza avere il vantaggio di un mezzo veloce. Se a smontare la sua impazienza non vale la buona educazione, valga almeno una certa prudenza: gettando in faccia al pedone un adirato: « Cretino », rischia di provocare un « Ma stia zitta tardona! » o qualche altro complimento del genere, particolarmente scottante se accanto a lei siede un ammiratore.

Chi *non* guida, ma siede accanto al conducente, non lo distrae, non gesticola e soprattutto non elargisce consigli, suggerimenti, grida di allarme, d'incoraggiamento al compagno, ad ogni svolta della strada.

Posti in auto

Il posto di riguardo, *se guida l'autista*, è quello in fondo a destra. *Se guida il proprietario* della macchina è quello accanto a lui. Il signore che guida non dev'essere mai lasciato solo: verrebbe scambiato per l'autista. *Se è accompagnato da due signore*, la moglie e un'amica, la prima si accomoda dietro, la seconda accanto a lui (a meno che non ci sia posto per tutti e tre davanti: in tal caso, l'amica siede tra i due coniugi).

Se marito e moglie invitano un'altra coppia, l'invitata siede accanto a lui, l'invitato accanto a lei (ma se due amici desiderano parlare tra loro possono pregare le rispettive mogli di lasciarli vicini davanti e di accomodarsi insieme dietro.)

Se tra gli ospiti c'è una signora anziana, le si chiede se preferisce il sedile anteriore o quello posteriore; gli altri si sistemano in conseguenza.

Come dovrà regolarsi il signore che sale in tassì con una signora? A lei, si sa, spetta il posto di destra, a lui quello di sinistra. Dovrà lasciarla salire per prima e poi passarle davanti? Dovrà, piuttosto, precederla e poi aiutarla? Dovrà fare il giro del tassì ed entrare dallo sportello di sinistra, rischiando di essere travolto da qualche macchina? Si regolerà secondo le circostanze e il buon senso, adottando l'una o l'altra di queste tre soluzioni.

Il signore scende sempre dalla macchina per salutare una signora che si accinge a salirvi o a scenderne. Ne è dispensato solo se la macchina è al completo e questa manovra lo costringe a disturbare tutti.

Recandosi a prendere una signora, il signore, appena giunto davanti al portone, scende dall'automobile (a meno che per qualche motivo non possa abbandonare il suo posto di guida). Se è accompagnato dall'autista sarà questi ad aprire e chiudere gli sportelli; ma lui dovrà ugualmente aspettare sul marciapiede. Le signore, invece, si aspettano a vicenda in macchina. La più giovane lascia alla più anziana il posto migliore.

Tram

Non dovrebbe essere necessario ricordare che in tram e in autobus si cede il posto alle persone decisamente anziane, agli invalidi, alle signore in stato di gravidanza e a quelle che hanno un bambino in braccio.

Ma non si dimentichi, anche, che è ineducato rimproverare un uomo che non si affretta a cedere il posto: Potrebbe darsi che per particolari condizioni di salute non fosse in condizioni di restare a lungo in piedi.

Se qualcuno vi urta o vi pesta un piede, se il fattorino vi urla nell'orecchio di andare avanti quando i passeggeri sono stipati come sardine in scatola, se il manovratore chiude di colpo la portiera mentre state scendendo, se davanti all'uscita un massiccio passeggero rifiuta di farvi passare, se il vostro vicino di posto legge il vostro giornale quasi adagiato sulla vostra spalla, se il solito ragazzino vi scalcia contro le gambe o succhia un pericolante gelato a pochi centimetri da voi, sappiate sempre mantenere una stoica calma, recitando magari, mentalmente, il famoso inno alla pazienza di Kipling che s'intitola, appunto: "SE..."

CAPITOLO XVII

COME SI COMPORTANO LA SIGNORA E IL SIGNORE

La signora

IN CASA:

In casa la vera signora non gira in pianelle, non si presenta a tavola in vestaglia. I bigudini non oltrepassano la camera da letto. Non fa pesare le sue emicranie sugli altri. Se la donna di servizio rompe un piatto non la rimprovera davanti a tutti, né aspetta che il marito sia rincasato per punire i bambini se hanno combinato qualche guaio. Piuttosto, appena egli suona alla porta d'ingresso, corre a ravviarsi per farglisi incontro sorridente e in ordine. Della bolletta del gas, del rubinetto che non funziona non farà parola, almeno fin dopo il caffè.

Quando riceve, la signora non cerca di brillare a scapito del marito. Se lui è timido, lo aiuta a fare bella figura. « Racconta quella buffa storia che ti è successa la settimana scorsa a Torino »: simili frasette sono ottimi trampolini di lancio; il marito troverà il coraggio di tuffarsi nella conversazione e, più tardi, gli amici commenteranno concordi quanto siano rare al giorno d'oggi le coppie così bene affiatate.

FUORI DI CASA:

La vera signora *non fuma per strada*, né mentre balla, né quando è in un negozio (dal parrucchiere fumi quanto le pare). Non parla con la sigaretta penzoloni tra le labbra. Usa un bocchino, purché non sia lungo come una tromba e non le ispiri atteggiamenti fataleggianti.

La vera signora veste con sobrietà. Sa che la parola *chic* è l'opposto della parola "provocante". Abiti troppo attillati, scollature stile Mansfield-Monroe, sono di pessimo gusto. Se ha una *silhouette*

marcata, se è troppo grossa e sproporzionata, rinuncerà a seguire la moda alla lettera, cercherà di indovinare una volta per tutte il suo stile, la linea che meglio le si addice e se ne scosterà, poi, il meno possibile. Potrà rifarsi variando accessori e dettagli.

Il *cappello* è consigliabile a una colazione elegante, a un tè, a un *cocktail* e quando ci si reca in visita per la prima volta. Oltrepassata la cinquantina, una signora veramente elegante non dovrebbe farne a meno.

I *guanti*, una volta classici e di stile formale, oggi sono ammessi in tutte le tinte e nei più vari tessuti. La signora in abito da *cocktail* può sfilare la mano dell'apertura del polso per salutare la padrona di casa e gli altri invitati. Ma se ha dei guanti corti, entrando in un salotto si toglierà almeno quello destro (l'altro se lo può sfilare poi con comodo). La sera i guanti non si sfilano se completano l'abito come elemento indispensabile. Però la signora si toglierà sempre il guanto destro (o passerà la mano dall'apertura del polso) per ballare. Recandosi in sala da pranzo dovrà, comunque, toglierseli completamente.

Raccontava Jacques Fath che una volta gli accadde di dover vestire da capo a piedi Marlene Dietrich per una festa da ballo alla quale lui stesso era stato invitato. Creò appositamente per lei una splendida guaina di velluto nero, completata da un paio di guanti cremisi uguali alle scarpette di raso. La sera del ricevimento arrivò in anticipo per assistere all'entrata della diva. Appena questa fu annunciata, gli occhi di tutti si fissarono sulla porta. Fath impallidì: un grosso brillante scintillava sul guanto sinistro dell'attrice. Per colpa di quell'anello, la donna di classe che egli aveva inteso presentare, si era trasformata in una *soubrette* da rivista.

A proposito di gioielli, si evitino quelli appariscenti nelle ore del mattino e del primo pomeriggio. A una colazione elegante è ammesso un anello di brillanti. Le collane di cristalli colorati si possono portare anche di giorno, purché con abiti intonati. Gli strass sono sempre sconsigliabili alla luce del giorno, che inesorabilmente li rivela per quello che sono: pezzetti di vetro.

Può accadere che una giovane signora ne incontri un'altra, assai più vecchia di lei, nella *hall* di un albergo o in qualche negozio. L'operazione di togliersi il guanto si presenta complicata e, nel frattempo, l'anziana signora rimane con la mano tesa nel vuoto. In questo caso meglio rinunciare a presentare la mano nuda, e togliersi il guanto con calma per il successivo saluto di commiato.

Le ragazze, nel salutare le signore si tolgono sempre il guanto, se possibile anche per strada.

Per la strada:

Una signora non parla a voce alta per strada. Non cammina ancheggiando volutamente; non si volta se il vestito di una passante è proprio il modello che farebbe per lei, o se ha riconosciuto un celeberrimo Divo. Non si ferma a conversare in un punto dove può intralciare il traffico. Se le accade di urtare qualcuno, si scusa, anche se la colpa non è tutta sua. Se piove e ha l'ombrello, lascia a chi non ne è provvisto il passaggio rasente il muro. Se qualche "vitellone" mugge dietro a lei un complimento superlativo, non lascia trasparire un sorriso compiaciuto, ma nemmeno si congestiona per la rabbia se la qualità del complimento è scadente. Se nonostante la sua indifferenza, il "vitellone" persiste a molestarla, si rivolge a un vigile, ma non indugia in spiegazioni concitate che attirerebbero un fastidioso cappannello di gente.

Se incontra un conoscente, accenna un principio di saluto che lo autorizzi a riconoscerla. Se è miope o poco fisionomista risolva i dubbi salutando comunque: non salutando una persona che conosce rischierebbe di passare per maleducata. Salutando un passante che non conosce rischia solo che sia lui a dubitare della propria memoria.

NEI NEGOZI:

La signora non entra in un negozio, così, tanto per vedere o perdere una mezz'ora. Se il tempo non conta per lei, conta per chi lavora. È paziente e cortese con i commessi: se non trova ciò che cerca, prima di uscire dal negozio, devastato dalle sue ricerche, ringrazia e aggiunge "Mi dispiace, sarà per un'altra volta". Grazie a quella frase gentile e al suo modo di fare, la sua eventuale riapparizione non verrà accolta come una calamità. Nel contrattare un acquisto può chiedere uno sconto, ma non insisterà oltre certi limiti. Nel lasciare il negozio potrà tendere la mano al proprietario se si è occupato di lei.

La donna sola

Grazie al cielo, oggi la donna sola può costruirsi una vita piacevole (che tante donne sposate le invidiano), può godere molta libertà, può viaggiare, uscire di sera, può fare, insomma, il comodo suo. Tuttavia, non è raro che delle donne sole mi scrivano (si tratta per lo più di giovani maestre e impiegate) per confidarmi il loro imbarazzo: vorrebbero fare un viaggetto, prendersi una vacanza fuori del paese o della cittadina dove vivono, ma al momento di decidersi mille interrogativi le angosciano. Potranno recarsi sole al ristorante? E la sera potranno uscire senza essere accompagnate? E se capita loro in treno, in pullman, in albergo, di fare qualche conoscenza maschile?

È ovvio che una minorenne farà bene a non intraprendere da sola uno di questi viaggi. Le converrà piuttosto inserirsi in qualche comitiva, mettersi d'accordo con un'amica, oppure affidarsi a un'organizzazione turistica. Ma una ragazza più matura può, senza pericolo, intraprendere qualsiasi viaggio da sola. Può mangiare in un ristorante la mattina, e la sera in albergo. Può visitare musei e mostre, recarsi la sera a teatro e di giorno al cinema. È sperabile che abbia abbastanza giudizio per saper discernere se sia il caso, o no, di prolungare la conversazione col suo vicino di tavolo in albergo, o con il turista che ammira accanto a lei il soffitto della Cappella Sistina.

Ci sono, tuttavia, alcune regole da cui la donna sola non può derogare:

- *Non si recherà mai da sola nell'appartamento di uno scapolo. Non vi si tratterrà per ultima, se vi si è recata insieme ad altre persone.*
- *Non lascerà mai, la sera, entrare in casa il signore che l'ha accompagnata al ristorante o a teatro. I saluti si scambiano sul portone.*
- *Non accetterà regali dai suoi corteggiatori: solo fiori, scatole di dolci, libri, ed eventualmente qualche "pensierino" di poco valore.*
- *Non incoraggerà barzellette salate né confidenze intime. Non ne farà assolutamente: a circondarsi di un po' di mistero ha tutto da guadagnare.*

Naturalmente queste regole vanno interpretate con criterio: una nubile quarantenne non è obbligata a seguirle alla lettera.

In ufficio

Nei rapporti con i colleghi d'ufficio ci si asterrà dal raccontare i particolari del pranzo cucinato dalla suocera, i battibecchi recenti con il consorte, l'acquisto a rate del televisore.

La giovane segretaria si guarderà bene dal fare o dal ricevere telefonate, che non hanno nulla in comune con il suo lavoro. Se il fidanzato la chiama, abbrevi la conversazione e soprattutto si astenga dal cinguettare nell'apparecchio nomignoli e vezzeggiativi che non producono certo lo stesso effetto in chi ascolta all'altro capo del filo e in chi ascolta dietro alle sue spalle.

Se si desidera che i rapporti d'amicizia con i colleghi abbiano un seguito anche fuori dall'ufficio, si tasti, prima, il terreno: potrebbe darsi che il rag. Bianchi, se pure così cortese, non desideri presentare la moglie né ricevere a casa.

Corteggiare una collega è per lo meno imprudente: la quotidiana vicinanza prima o poi porta a uno svolta non sempre auspicata. E se il corteggiatore, messo con le spalle al muro, decide a un tratto di fare dietro-front, si troverà, poi, a dover quotidianamente fronteggiare la più imbarazzante delle situazioni.

Un sorriso, una parola gentile saranno più utili, nei rapporti con il capo ufficio, il collega, le segretarie, il fattorino, di quanto possa esserlo il cipiglio autoritario di chi "sa quello che vuole" e "non dà confidenza ad alcuno", illudendosi così di essere più rispettato.

Tuttavia anche la confidenza va controllata: la segretaria, l'impiegata in genere, non eccede in cameratismo; non racconta barzellette spinte, non fraternizza troppo con i colleghi, non diventa, man mano che passano le ore, più spettinata, sciatta e sgraziata. In America dove "tutte" le donne, giovani e vecchie, lavorano, una commessa in disordine, un'impiegata con le unghie sporche, una segretaria che non usi il deodorante di cui avrebbe bisogno, viene licenziata su due piedi. Di conseguenza in qualsiasi ufficio, o Ditta, il cliente è accolto da una atmosfera incoraggiante e gentile che da noi spesso è esclusiva dei negozi di abbigliamento o di articoli di lusso.

La segretaria

La segretaria perfetta è pulitissima, depilatissima, ordinatissima. Se necessario, fa largo uso di deodoranti, ma rinuncia a profumarsi in ufficio. Veste con sobria eleganza, evita il genere "sexy". Se il principale la tratta molto cordialmente, mantiene un contegno riservato e deferente. Se egli riceve dei clienti e dei colleghi d'affari, lei si alza quando entrano, ma esce dalla stanza solo se il principale glielo ha chiesto in precedenza. Altrimenti riprende il suo lavoro. Se il principale desidera offrire ai visitatori un caffè o qualche bibita, la segretaria provvede ad avvertire telefonicamente il bar. Appena il cameriere ha portato il vassoio, pensa lei a porgere le tazzine o i bicchieri ad ognuno. Prima servirà gli ospiti, poi il principale. Non è tenuta ad aiutare il padrone a infilarsi il soprabito, se non si tratta di persona molto anziana. La stessa regola vale per i visitatori.

Se la moglie del direttore viene a trovare in ufficio il marito, la signorina si alza, saluta ed esce dalla stanza, a meno che non venga pregata di rimanere. Se la signora le usa particolari cortesie (non è raro che la moglie del principale inviti a colazione o a cena la segretaria del marito, qualche volta per spontanea simpatia, qualche volta per rendersi conto se c'è ombra di pericolo), il suo contegno continuerà ad essere riservato e riguardoso verso entrambi. Potrà presentarsi in casa loro con un mazzo di fiori, oppure, se le feste sono vicine, si sdebiterà con una pianta fiorita.

Se il principale è scapolo, non accetterà i suoi inviti, rifiuterà con qualche scusa di essere riaccompagnata a casa in macchina. Se le viene proposta qualche ora di lavoro supplementare la sera, capirà a volo e risponderà che le dispiace, ma dopo cena non può uscire per ragioni di famiglia.

Può accadere, è vero, che il principale si invaghisca della sua segretaria e, come si legge nei "fumetti", chieda la sua mano. Ma questi epiloghi miracolosi e rarissimi non escludono i precedenti consigli. Anzi, non sempre le segretarie che sposano i loro direttori sono bellissime: in compenso sono quasi sempre intelligenti e serie. Alle bellissime (e frivole) il principale si accontenta di chiedere molto meno.

Consigli alla signora che vuole "arrivare"

Abbia un cuoco francese, elargisca laute somme alle Opere benefiche capeggiate da dame autorevoli; inviti spesso qualche nobile, decaduto ma *à la page*, disposto a consigliarla e a pilotarla in cambio di un posto sempre disponibile a tavola. Abbia una casa arredata da un decoratore di gusto sicuro e piuttosto tradizionale (quadri moderni se crede, ma mobili antichi) e quando riuscirà a riunire nel suo salotto un mazzetto di marchese e contesse non imiti di colpo i loro modi di parlare; non inserisca a vanvera parole straniere nella conversazione; non inauguri un'aria annoiata e *blasée*; si dimostri invece felice di riceverle, di stare fra loro, dia a ognuna l'impressione che è quella, fra tutte, che lei ammira di più. Non evochi i "*pensionnats* svizzeri" della sua infanzia, "la collezione di porcellane cinesi" di suo padre, la "classe" che aveva sua nonna. Perderebbe di colpo la loro benevolenza. Meglio, piuttosto, inserire frasi di questo genere: « Io che non ho avuto un'infanzia privilegiata come tutte voi... », « Mio padre, che si è fatto da sé... » ecc. Si dirà di lei che ha l'orgoglio di essere quello che è, e il coraggio di non rinnegare le sue origini. Non si associ troppo presto ai pettegolezzi delle nuove amiche, non dichiari che « il cenino della duchessona era una barba ». Per molto tempo ancora questo linguaggio e queste malignità le sono vietate. Se qualcuno pronuncia in sua presenza un commento del genere, potrà tutto al più rispondere: « Può darsi, ma in tutti i casi io invidio alla duchessa i due Tiepolo del salone... », che non c'entra nulla, è vero, ma deporrà per la sua discrezione e per il suo amore dell'arte. Per concludere, se un giorno si accorgerà che nel mondo della "crema", non è tutto oro quello che riluce, non si atteggi a Grande Disillusa; dimostrerebbe solo leggerezza e malafede. In quel mondo lei ha voluto entrare non per cercarvi delle amicizie profonde, ma delle conoscenze brillanti. Non per riempire il vuoto dell'animo, ma per riempire il suo salotto. E tutto sommato ha avuto quel che ha voluto.

Il signore

IN CASA:

Molti uomini considerano le buone maniere come un soprabito da indossare al momento di uscir di casa e da appendere all'attaccapanni appena rientrati. Ecco il cav. Rossi, per esempio: amabilissimo in società, servizievole in ufficio, brillante al Circolo e al caffè. Tra le pareti domestiche, musone, taciturno, iracondo. Maleducato, insomma. Colpa in gran parte sua, ma colpa anche della signora Rossi (consorte) che fin dall'inizio non ha saputo farsi rispettare e colpa soprattutto della signora Rossi (madre) che quand'era bambino gli ha lesinato scapaccioni e buone norme di educazione: beneducati non si nasce, si diventa. Ma perfettamente educati si è solo il giorno in cui le buone maniere son diventate un riflesso istintivo.

Il vero signore, in casa è loquace con la moglie, riguardoso con la suocera, paziente con i figli. Evita qualsiasi discussione tra adulti in presenza dei bambini. Non accende la radio durante i pasti e, soprattutto, non legge il giornale a tavola. Passa alla moglie una cifra, ragionevolmente proporzionata al suo stipendio, per le sue spese personali. Se lei inaugura un abitino nuovo non si acciglia, dichiarando: « Che bisogno ne avevi? Quello che ti sei fatto tre anni fa per i funerali dello zio, è ancora nuovo... ». (Peggio ancora, però, se dichiara a lei che si pavoneggia: « È vecchio o nuovo questo vestito? ».) Se l'accompagna a passeggio non le cammina davanti o dietro con aria distratta, ma le sta a fianco e l'aiuta a portare i pacchetti delle commissioni (a meno che non sia in uniforme). Se lei indugia davanti a una vetrina, aspetta con pazienza. Resista pure, se crede, ai suoi tentativi di trascinarlo nel negozio, ma non sia sgarbato. Se passa una bella ragazza non la fissi insistentemente e tanto meno si volti a guardarla: non sa quale carica di malumore si vada addensando sotto la fronte della consorte!

Il vero signore conosce l'importanza delle piccole attenzioni, dei "pensierini" quotidiani, delle date importanti celebrate con un piccolo regalo, un bacio, un invito a teatro o al ristorante. Basta così poco ad appagare il bisogno di tenerezza di una moglie e ad allontanare dalla propria casa tante grosse catastrofi!

FUORI DI CASA:

Incontrando per strada una signora, il signore solleva il cappello per salutare. Se si ferma a parlare (ma sarà stata lei a prenderne l'iniziativa) rimane a capo scoperto, a meno che non piova, o il tempo sia tale da giustificare l'atteggiamento contrario. Se cammina con una signora sotto la pioggia, tiene l'ombrello aperto. Se l'accompagna in città, si mette sempre dal lato esterno del marciapiede. Se l'accompagna in campagna, in giardino, in qualsiasi posto insomma dove non ci siano marciapiedi, le dà la destra. Non la prende sottobraccio, né le offre il suo braccio se non si tratta di una signora anziana, o se la strada non è particolarmente disagevole.

I fidanzati non fanno eccezione: devono comportarsi come tutti. Se a una *coppia di fidanzati* si unisce una sorella o un'amica, la fidanzata sta in mezzo, e lui si terrà dalla parte esterna del marciapiede.

Se a una *coppia di sposi* si unisce un'amica, spetterà invece a quest'ultima stare nel mezzo.

Se *due signori accompagnano una signora*, le dànno il posto d'onore in mezzo a loro.

Nell'entrare in un portone, si cede il passo a chi esce (ma un uomo lascia comunque la precedenza a una signora.)

Al momento di entrare nella porta girevole di un albergo, il signore cede il passo alla signora e si inserisce nel vano successivo.

Se entrano in un locale pubblico, ristorante o dancing, il signore apre la porta e lascia passare la signora, ma poi la precede nell'attraversare la sala per evitarle l'imbarazzo della scelta di un tavolo e per indurre alla discrezione gli eventuali "vitelloni". Solo se il ristorante o il locale in cui entrano è semivuoto, la signora può precedere il signore nel dirigersi verso un tavolo.

In treno, lungo i corridoi, il signore precede la signora per farle strada; se necessario le porge la mano nel passare da una carrozza all'altra.

A teatro e al cinema, se la "maschera" è occupata altrove, il signore precede la signora ai loro posti. Se c'è la "maschera", lui seguirà per ultimo. Naturalmente alla signora spetta sempre il posto migliore: quello più vicino al centro, se le poltrone sono molto laterali, altrimenti quello alla destra di lui. Le regole su questo punto sono, del resto, elastiche: potrebbe darsi che uno dei due ci sentisse meno da un orecchio che dall'altro e preferisse invertire i posti. Oppure, che sul sedile di fronte alla signora uno spettatore ingombrante le impedisse la vista. Anche in questo caso i posti vengono scambiati. È dovere del signore offrire il programma alla signora e, nell'intervallo, proporle una bibita al *buffet*. Dopo lo spettacolo, può suggerirle di finire la serata in qualche locale, ma non insiste se lei preferisce essere riaccompagnata subito a casa.

Purtroppo, può accadere che, per una strana convenzione di "gallismo", le *avances* siano l'immancabile conclusione di una serata a due. A non farne, certi uomini temerebbero di passare per "poco virili". E così accade che questi tentativi fatti il più delle volte a freddo (può darsi infatti che il Don Giovanni muoia di sonno) non siano che una fastidiosa commedia per lui e una estenuante autodifesa per lei (che si trattiene dal rimetter a posto l'importuno con un solenne ceffone solo perché è stata invitata e si crede obbligata a qualche riguardo). È necessario sottolineare quanto sia odiosa questa specie di ricatto?

CAPITOLO XVIII

SALUTI E CONVENEVOLI

Come saluta il signore

Regola generale: *L'uomo va sempre presentato per primo alla donna; la persona di meno riguardo a quella di maggior riguardo.*

Per strada, il signore saluta la signora appena i loro sguardi si incrociano. Se lei finge di non vederlo, lui rivolge subito altrove la sua attenzione. Se lei non lo riconosce, lui accenna a un saluto discreto.

Il signore non ferma mai una signora per strada: tocca a lei prenderne l'iniziativa. Naturalmente, quest'ultima regola vale per i rapporti puramente formali: il signore che riconosce per strada una buona amica può fermarla e salutarla con una certa effusione.

Se accompagna una signora, il signore saluta, sollevando il cappello, le conoscenze che incontra; ma non si ferma a parlare con loro. Accennerà un saluto di cortesia alle persone che la signora saluta, anche se non le conosce. Se passeggiando con la moglie, incontra un amico e desidera parlargli, per prima cosa lo presenterà alla signora. Potrà dire per esempio: "Maria, ti presento Gianni Albertoni" e all'amico: "Mia moglie", semplicemente.

Il signore non saluta mai tenendo la sigaretta tra le labbra.

Se non ha il cappello, inclina più o meno il busto, secondo la persona che saluta.

Per salutare un subalterno, il signore non si toglie il cappello, ma porta soltanto la mano all'orlo di questo.

Per salutare un conoscente, solleva il cappello inclinandolo leggermente in avanti.

Per salutare una signora, il gesto sarà più marcato e verrà accompagnato da un'inclinazione del capo.

Il signore si toglie il cappello ogni volta che entra in un albergo, in un negozio, nell'ascensore, e in generale in qualsiasi locale pubblico, eccettuata la stazione, la posta e la sinagoga.

Può tenere il cappello in filobus, ma lo *toglie in tassì se accompagna una signora.*

Per le scale, se incontra una signora, solleva il cappello, mentre se è a testa nuda s'inchina leggermente. Se accompagna una signora, le lascia il lato della ringhiera in modo che possa appoggiarvisi. Se all'inizio di una scala incontra una signora che non conosce, la saluta e la precede: oppure aspetta a seguirla che essa lo abbia preceduto di una o due rampe.

In ascensore il signore non fuma. Si toglie il cappello. Se si trova in compagnia di una signora evita di volgerle le spalle. Non ne approfitta però, per fissarla. Prima di premere il bottone, si informa a che piano lei desidera fermarsi e se tocca a lui uscire per primo aggiunge: « Se permette, io vado al secondo piano ». Se sono diretti tutti e due allo stesso piano, lui apre la porta, le cede il passo e provvede a richiudere l'ascensore.

È doveroso salutare:

- *il SS. Sacramento durante le processioni;*
- *la bandiera italiana durante una sfilata;*
- *il Capo dello Stato ovunque lo si incontri;*
- *il feretro durante un corteo funebre.*

Come saluta la signora

Una *signora che passeggia in compagnia di un signore* può fermarsi a salutare un'amica, ma subito farà le presentazioni: « Cara, che gioia incontrarti! Ti presento l'avvocato Ferretti ». E all'avvocato: « La signora Delfini ».

Se incontra una signora anziana, o di grado sociale superiore al suo, la saluta per prima. *Se incontra una sua pari,* il saluto dovrebbe essere spontaneo e simultaneo dalle due parti. (Tra giovani la regola è più elastica: se lui è timido e imbarazzato ed esita, la ragazza può dargli un incoraggiamento, sorridendogli per prima. Niente « ciao », però, miagolati da un marciapiede all'altro, né saluti biascicati al *chewing-gum.*)

Presentazioni

Chi entra in un salotto saluta prima la padrona di casa, poi il padrone di casa. Saluta le persone presenti incominciando da quelle che conosce. Per quelle che non conosce si rimette alla padrona di casa, che ha l'obbligo di fare le presentazioni. Essa non ripete il nome dell'ospite davanti a ogni invitato, ma lo ripeterà passando di gruppo in gruppo. Lui si inchinerà leggermente davanti alle signore e bacerà la mano che gli vien tesa.

Nel presentare un signore molto anziano, o di molto riguardo, a una signora assai più giovane di lui si invertirà la regola: lei verrà presentata per prima. Ma attenti! Non sempre questi segni di deferenza vengono graditi. Potrebbe darsi che l'anziano signore ci tenesse ancora a fare il galante.

Una ragazza saluta sempre con deferenza le amiche della mamma: se è seduta si alza.

Tra giovani si presenta così: « Mario Anfossi», « Maria Franchi ». Oppure: « Maria, conosci Mario Anfossi? » e a lui « Maria Franchi ». Presentando a un gruppo la signorina Franchi, l'amica dirà: « Maria Franchi » e poi, via via: « Cristina Gozzi, Mario Anfossi, Piero Lanzi », ecc.

Presentando persone di uno stesso ambiente, e di sicuro affiatamento, la signora potrà omettere titoli di ogni genere. Non dirà: « Il dottor Cavalletti » ma: « Giulio Cavalletti », e nemmeno: « L'architetto Bruni », ma: « Fabrizio Bruni ».

Presentando persone anziane, o di riguardo, dirà invece i loro titoli. Se l'avvocato è anche commendatore, meglio presentarlo col titolo professionale che con quello onorifico.

Presentando un parente, si dirà: « Mio cognato Giulio », oppure « Mio cognato Giulio Carletti », e non « Mio cognato il conte Carletti ». « Conte Carletti » verrà detto solo se il cognato viene presentato a un estraneo o a un subalterno, o a qualche persona cui la parentela tra l'uno e l'altro non interessa assolutamente.

Presentando due coppie di coniugi si dirà: « Il dottor Vieri, la signora Vieri », « L'ing. Sarti, la signora Sarti ».

La professoressa Bianchi e la dottoressa Rossi, in un ricevimento si scrolleranno momentaneamente di dosso la laurea e nelle presentazioni si accontenteranno di essere « La signora Bianchi » e « La signorina Rossi ». La signora Carli è già stata presentata alla signora Bini che non l'ha riconosciuta. Se glielo rammentasse la mortificherebbe, perciò anziché dirle: « Non mi riconosce? Siamo già state presentate », le dirà: « Sono Marisa Carli e, se non sbaglio, ci siamo conosciute un mese fa in casa Giorgini... ».

Può darsi che un invitato capiti in un gruppo di persone e non le conosca tutte. Si rivolgerà a un amico (o anche a un'amica) che fa parte del gruppo, pregandolo di presentarlo. La stessa cosa può capitare a una signora: chiederà a un'amica che la presenti alle "signore". Ma se nel gruppo ci sono uomini e ragazze, non aspetteranno che sia lei a prendere l'iniziativa: tocca a loro presentarsi per primi.

Può anche darsi che un invitato si trovi isolato in un gruppo dove non conosce nessuno. In mancanza di aiuto, potrà presentarsi da sé. Dirà chiaramente il suo nome: « Federico Corti », solo alla prima presentazione, poi si limiterà a baciare la mano alle signore. Ripeterà il suo nome nel presentarsi agli uomini. In questo caso, una persona del gruppo dovrebbe assumersi l'incarico di nominare via

via tutti i presenti. Se questa persona non c'è, gli uomini rispondono al saluto declinando il loro nome, le signore si limitano a sorridere nello stendere la mano.

Si eviti assolutamente di masticare « piacere », o di declamare « onoratissimo » nelle presentazioni. Il signore potrà dire: « Molto lieto ». La signora, un sorriso muto. Se a sorridere in silenzio si sente sciocca e impacciata, dica pure « molto lieta » anche lei. Nell'accomiatarsi può dichiarare addirittura: « Sono stata così felice di conoscerla! ».

La stretta di mano

Nel salutare, il baldanzoso sportivo starà attento a non stritolare le dita che gli vengono tese. La signora non porgerà una mano inerte come un guanto. La stretta di mano di una persona beneducata è energica ma non troppo, breve ma non eccessivamente affrettata.

Lo starnuto

Il conte V... assunse per i suoi sette figli un istitutore per iniziarli alle buone norme del "Saper Vivere".

La prima lezione fu dedicata alla tavola. Tra l'altro il precettore sentenziò: « Se accade che uno dei commensali lasci cadere una posata, si macchi l'abito, ingolli di traverso ecc., l'educazione vuole che nessuno se ne accorga; si finga magari di osservare qualcosa fuori della finestra ». Più tardi, durante il pranzo, il conte starnutì nel *consommé* con disastrose conseguenze. Di colpo, i suoi sette rampolli balzarono in piedi e corsero ad affacciarsi alla finestra. Morale: starnutite nel fazzoletto, e se a starnutire è il vostro vicino, non esagerate di discrezione.

La sigaretta

Anche se lo scompartimento è "per fumatori", il signore che viaggia s'informa se il fumo non dà noia alle signore. Solo se la signora che gli siede accanto o di fronte gli risponde con un cordiale sorriso, egli è autorizzato a offrirle una sigaretta. Ma non ne approfitti per attaccar subito discorso « La signora è romana? », « La signorina viene da lontano? », sono domande importune e di una banalità deprimente.

Non si fuma a tavola prima del dessert o delle frutta, a meno che la padrona di casa non ne dia l'esempio.

Una buona padrona di casa provvede a rifornire sempre il salotto di sigarette, quando riceve.

Un uomo fuma la pipa soltanto in casa propria, o se ne è espressamente autorizzato. *Il sigaro in casa d'altri non si fuma,* se non è il padrone di casa a offrirne.

Una signora non accende una sigaretta a un uomo: gli porge, caso mai, l'accendisigari o la scatola dei fiammiferi. Non soffia sulla fiamma che le viene presentata: spetta al signore spegnerla.

Un signore non prende mai una sigaretta dal proprio astuccio senza offrirne prima alla signora che gli siede accanto ed eventualmente anche agli altri vicini.

La signora cerca di non sporcare di rosso la sigaretta e non la tiene penzoloni tra le labbra. Il signore non parla mai con la sigaretta in bocca, né se l'appiccica al labbro: lasci questi modi ai *gangsters* dei film gialli.

Non si accendono tre sigarette di seguito. La cenere non dev'essere mai buttata per terra, ma nemmeno nei piattini da caffè o a casaccio nei vasi e nelle coppe appoggiate sui tavoli. È meglio, se si ha qualche incertezza, chiedere alla padrona di casa dove scuotere la sigaretta.

La conversazione

Una ricca signora volle, anni fa, inaugurare un salotto letterario a Roma. Dopo molte fatiche, riuscì a invitare una ventina tra scrittori, poeti e giornalisti, tutti più o meno famosi. Fu un fiasco: diffidenti tra loro, male affiatati con gli altri ospiti, abituati a tener cattedra per conto proprio, nessuno fiatò, nessuno aprì bocca se non per fare onore al *buffet.* E la signora, delusa, commentò il giorno dopo con le amiche: « Non mi stupirei se i loro libri e i loro articoli glieli scrivessero le mogli ».

Per garantire il successo di una serata di questo genere, non basta saper dosare gli invitati (non più di uno o due nomi illustri per volta), ma occorre anche che la padrona di casa sia una consumata "direttrice d'orchestra". L'invitato che parla troppo e annoia tutti, va messo abilmente a tacere. Al celebre giornalista, invece, che morde il freno perché vorrebbe recitare l'elzeviro che ha scritto il pomeriggio, verrà concesso un "a solo". All'incauta signora che si è ingolfata in una complicata barzelletta e non riesce più a districarsene, bisogna proporre d'urgenza una scorciatoia. All'immancabile *gaffeur* occorre trasmettere per tempo un impercettibile segno, se non addirittura tagliargli la parola.

Se gli ospiti non accennano ad andarsene, la padrona di casa reprime gli sbadigli; suo marito non accenna all'alzataccia che lo aspetta l'indomani. Se invece si accomiatano troppo presto, non si cerca di trattenerli per forza: se avessero voglia di restare, resterebbero. I saluti saranno, in un caso e nell'altro, cordialissimi. Gli ospiti: « Grazie per la deliziosa serata ». I padroni di casa: « Siamo stati così felici di avervi ». Poi, chiuso il portone, ognuno dirà quel che gli pare.

Le frasi infelici

– *Io ti difendo sempre ogni volta che si dice male di te.*
– *Chi era la bella signora che ho visto ieri sera in macchina con tuo marito?*
– *Come mai non eri invitata dalla contessa Snobbani?*
– *Sua figlia, signora, è molto bella, ma lei lo è assai di più.*
– *Lei è molto bella, signorina, ma sua madre lo è ancor di più.*
– *Dottore, ripeta quella barzelletta che racconta sempre!*
– *Con i capelli ossigenati dimostri vent'anni di meno!*
– *Questo cappellino ti sta molto meglio della* parure *che avevi al tuo matrimonio.*
– *Cara, come ti dona il lutto!*
– *Sarei felice di averla a pranzo domani. Non dica di no: se non viene rimaniamo in tredici!*
– *Malasorte? Lei si chiama Malasorte? Non è mica per caso parente di quel Malasorte, noto iettatore?*

CAPITOLO XIX

GLI INVITI

Pranzo, Tè, Cocktail, ecc.

Si invita con una telefonata per una colazione, un tè, un *cocktail*, un pranzo. Ma all'invito telefonico si fa seguire un biglietto di visita "per memoria" se si tratta di una colazione, di un *cocktail*, di un pranzo *importanti*. Si invita con un cartoncino se si tratta di un ricevimento in grande, o di una festa da ballo.

L'invito telefonico deve essere preciso. Dicendo: « Venga tra l'una e l'una e mezzo », o « Quando le fa comodo » si mette in imbarazzo l'invitato e di cattivo umore la cuoca.

Se si invita la sera, *per un pranzo*, si specifica come dovranno essere vestiti i signori. Per esempio, trattandosi di un pranzo in tono minore, si dirà: "vestito normale". Il signore capirà che deve venire in blu o in grigio fumo. Potrà essere vestito da mattina, solo se la signora lo avrà autorizzato a non cambiarsi: « Siamo in famiglia, resti com'è ». Se invece gli verrà detto: « Cravatta nera », capirà a volo che lo si aspetta in *smoking* e non già con una cravatta da lutto. Se gli uomini sono in *smoking*, le signore saranno in abito corto scollato. Infatti, invitando una signora sola, la padrona di casa preciserà anche a lei: « Vestito da pomeriggio », oppure « da mezza sera ».

Se la persona che si desidera invitare a pranzo non è in casa al momento della telefonata, si può lasciare il messaggio alla cameriera. Se si tratta, invece, di una persona di riguardo, o se è la prima volta che le si rivolge un invito, sarà corretto richiamarla personalmente più tardi. Un invito a pranzo dev'essere fatto con una settimana o dieci giorni di anticipo. Come ho detto, se il pranzo è di una certa importanza, la telefonata è seguita dall'invio di un biglietto di visita sul quale vengono scritte a mano data e ora del ricevimento e, in un angolo, le lettere "p.m.", abbreviazione di "per memoria" (però alle sigle di abbreviazione sono preferibili le parole per intero.)

CARLO e GIULIANA VERDEROSA
martedì ore 21 (a mano)
p. m.

Per un pranzo importante (più raramente per una colazione importante) si mandano dei cartoncini stampati:

LUIGI e MARIA CASTALDI
PREGANO *l'avvocato e la signora Dei*
DI VOLER VENIRE *a pranzo*
IL *21 aprile* ALLE ORE *21*
(a mano le parole in corsivo)

Via Po, 98 S. P. R.
Tel. 154.789

Quando il numero telefonico è indicato sull'invito, la risposta va data per telefono, nel più breve tempo possibile.

L'*invito a un tè* viene fatto generalmente per telefono, ma se si tratta di una riunione in grande che comporterebbe un numero impegnativo di chiamate, si possono mandare dei biglietti di visita completati a mano come segue:

GIOVANNA FEDERICI
in casa
lunedì 18, ore 17.
(a mano)

Se questo invito sembra troppo freddino si potranno aggiungere alcune righe:

GIOVANNA FEDERICI
sarà felice di averla per il tè
lunedì 18, alle 17
(a mano)

L'*invito a un cocktail* può essere fatto per telefono, o con un biglietto di visita come per il tè, oppure con un invito stampato. Chi dà regolarmente dei *cocktails* si fa stampare degli appositi cartoncini. Ecco alcuni esempi di inviti.

Il biglietto di visita:

GUIDO e MARIA FRANCI
cocktail ore 19 (*a mano*)
martedì 23

Il cartoncino stampato:

GIULIANO e MARIA SPINELLI
PREGANO *la signora Lina Betti*
DI VOLER VENIRE DA LORO *per un cocktail*
giovedì 13 dicembre alle 19
Villa Maria, Via Salerno, 8

(a mano le parole in corsivo)

Non si mette la sigla "R.S.V.P." o "S.P.R." su un invito a un *cocktail*.

Un invito a *un ricevimento di bambini* viene fatto generalmente da madre a madre per telefono o per iscritto. "*Gentile Signora, sarei felice di avere domenica pomeriggio Annina per una merenda di bambini, dalle quattro alle sette. Spero non La disturbi troppo mandarla a riprendere verso quell'ora. Altrimenti, provvederò perché sia riaccompagnata a casa.*"

Letto quest'invito, la signora non risponderà che tiene ad accompagnare personalmente la figlia per ringraziare la padrona di casa. Dimostrerebbe di non aver capito quello che si è cercato di farle intendere tra le righe, cioè che la presenza delle mamme non è richiesta al ricevimento.

Tuttavia, se la mamma di Annina, meno privilegiata della signora che ha fatto l'invito, non dispone di una governante per i suoi bambini, né può allontanare a quell'ora la donna tuttofare dai fornelli, potrà accompagnare personalmente la figlia fino alla porta dell'appartamento (meglio, fino al portone) e accomiatarsi da lei appena il domestico ha aperto l'uscio. Più tardi, quando si tratterà di passare a riprenderla, farà una telefonata, pregando che Annina sia accompagnata davanti al portone entro pochi minuti.

Ci si sdebita di un pranzo, quando si è stati invitati in una casa per la prima volta, mandando dei fiori. È sempre meglio mandarli il giorno stesso. La padrona di casa ne sarà doppiamente felice: avrà il salotto gratuitamente fiorito quando verranno gli ospiti, e le sarà risparmiata la telefonata di ringraziamento, visto che potrà ringraziare a voce. I fiori vengono accompagnati da un biglietto da visita con poche parole, intonate ai rapporti che intercorrono tra chi invita e chi è invitato.

A una signora con la quale si è in rapporti formali si scriverà: "*Con infiniti ringraziamenti*", lasciando nome e cognome così come sono sul biglietto (ma se c'è anche un titolo, questo verrà cancellato con un trattino di penna). A un'amica si potrà scrivere: "*Grazie, carissima, mi rallegro tanto di vederti stasera*"; il solito trattino cancellerà titolo e cognome.

Se non si accetta un invito a pranzo non si mandano fiori. Ma se dopo aver accettato si è costretti per qualche circostanza imprevista a disdirsi, i fiori verranno mandati lo stesso, preceduti da una telefonata di scuse.

Se, per qualche motivo, *un invitato si disdice* e la padrona di casa si vede costretta a sostituirlo all'ultimo momento, può telefonare a qualche amico di famiglia esponendogli la situazione. Non tenti di persuaderlo che si tratta di un pranzo combinato lì per lì: l'amico nel trovare da lei altri nove commensali accuratamente selezionati capirebbe a volo e se ne avrebbe giustamente a male.

Se è la padrona di casa a dover disdire il pranzo, telefonerà personalmente agli invitati (o scriverà un biglietto) per giustificarsi.

Chi viene invitato per telefono accetta o rifiuta sul momento. Soltanto se si è in rapporti di grande amicizia si può chiedere di differire la conferma fino al pomeriggio o all'indomani mattina, naturalmente con una scusa valida. All'invito si risponde subito per iscritto oppure con una telefonata. Se un impegno precedente le impedisce di accettare un invito, la signora non risponde al telefono: « Che peccato, lunedì sera sono a pranzo dalla duchessa di Altamura! ». Passerebbe per una *snob* che ci tiene a ostentare le sue relazioni altolocate. Nel caso poi che la duchessa di Altamura fosse anche amica di chi l'ha invitata, dimostrerebbe scarso tatto: potrebbe darsi, infatti, che la duchessa non desiderasse far sapere agli esclusi che quella sera riceve. Non meno grave è lo sbaglio di chi, nel rifiutare un invito, esclama: « Che disdetta! Martedì sera siamo a cena da quegli scocciatori dei Rossi! ». Nel riappendere il ricevitore, l'amica non potrà fare a meno di pensare che, dopo tutto, una simile linguaccia è meglio perderla che trovarla.

L'invitato che si disdice all'ultimo momento (e solo un motivo grave potrà giustificarlo), fa seguire alla telefonata un mazzo di fiori accompagnato da un biglietto da visita sul quale le scuse vengono ripetute. Per esempio:

FEDERICO BELETTI

(a mano) *ringrazia e rinnova, mortificatissimo, le sue scuse.*

Una coppia costretta a disdirsi perché uno dei due, il marito per esempio, deve improvvisamente partire, o si è ammalato, non ricorre a una telefonata. Le telefonate in questi casi sono estremamente imbarazzanti: chi ha invitato si sente nell'obbligo di rispondere che la signora sarà graditissima anche senza marito, e quest'ultima non sa se recherà meno disagio accettando o rifiutando. È meglio dunque scrivere un biglietto che sarà subito recapitato con un mazzo di fiori:

"*Gentile Signora, sono mortificatissima di doverLe dire che non potremo venire domani sera a pranzo. Giovanni è stato chiamato d'urgenza a Milano per un consulto. Spero tanto che questa involontaria assenza non Le creerà troppo imbarazzo. Ne siamo, Le assicuro, desolati.*"

La padrona di casa che riceve un biglietto simile a questo, si regola come le conviene: se le è possibile assicurarsi un altro commensale, può telefonare alla signora invitandola a venire anche senza il marito. Altrimenti, può non rispondere e rinunciare così alla coppia. Ho scritto "può non rispondere", ma poiché chi si disdice all'ultimo momento rimane persuaso di aver ispirato per lo meno uno scatto di malumore in chi lo aveva invitato, quest'ultimo potrà rassicurarlo (e ciò facendo dimostrerà molta signorilità), con un biglietto da visita. "*Grazie, cara signora, per le bellissime rose. Sono spiacen-*

tissima di dover rinunciare alla loro compagnia giovedì sera, ma spero molto in una prossima occasione."

La padrona di casa non può disdire un pranzo altro che per motivi molto gravi. Nemmeno l'improvviso malore della cuoca basterebbe a giustificarla, ché in tal caso, offerti i *cocktails,* potrebbe condurre gli ospiti in un buon ristorante dopo aver fissato una tavola con una telefonata. Se le accade di dover disdire il pranzo poco dopo aver diramato gli inviti, può proporre subito un altro giorno. Ma darà esaurienti spiegazioni a ciascun invitato.

Una grave disgrazia, un improvviso lutto non esigono scuse e giustificazioni. In questi casi, un parente prossimo si incarica di avvisare gli invitati.

Può darsi che si desideri dare *un ricevimento in onore di un ospite straniero, di un artista o di qualche personaggio più o meno illustre.*

L'invito potrà essere stampato così:

GIORGIO e DIANA FERRI
PREGANO *il Signor e la Signora Carli*
DI VOLER INTERVENIRE AL RICEVIMENTO
CHE DARANNO *in onore della Signora*
MARTA CANTABENE
(a mano le parole in corsivo)
Sabato 5 maggio, dopo le 22 — Via Sardegna, 18

Oppure, in onore di un amico che sta per trasferirsi altrove:

PIERO e CARLA NEGRI
saranno lieti di ricevere gli amici di
Tonino Freddi
prima della sua partenza per il Venezuela
(a mano)
18 marzo, dopo le 19 — Piazza del Giglio, 7

In questo caso, è sottinteso che si offriranno dei *cocktails.*

Raramente l'invito a un *ricevimento tutto di giovani,* viene fatto *direttamente* dal ragazzo o dalla ragazza che invita. Più spesso, gli inviti tra giovanissimi (quattordici-sedici anni) vengono scritti sui biglietti da visita o sui cartoncini dei genitori, in modo che la famiglia della ragazza invitata, sappia chiaramente "chi" è che invita ed abbia la certezza che il ricevimento sia stato organizzato con il consenso degli adulti. Per esempio, sul biglietto da visita dei genitori, Carlina metterà come segue il suo nome:

LUIGI e PAOLA VERDE

(a mano) { *Carlina invita gli amici*
sabato 18, dalle 17 alle 20

Feste da ballo

Un invito a *un ballo in grande* dev'essere fatto su un cartoncino stampato. Ma la formula sarà semplicissima. La parola "ballo" non verrà menzionata:

RINALDO e PINA RICCI
PREGANO *l'Avvocato e la Signora Micheli*
DI INTERVENIRE *alla serata di sabato 16 febbraio*
alle ore 23
(en tête "fiori o frutta") (a mano)
Milano, via Bigli 105

La signora che riceve un simile invito si presenterà con un'acconciatura di fiori o di frutta. Beninteso, quest'obbligo non si estende al marito.

ANTONIO e LUISA VERRI
PREGANO *il Signor Rodolfo Matti*
DI VOLER VENIRE *a pranzo*
il 18 maggio alle ore 22 (a mano)
cravatta nera S. P. R.

Un invito come questo precisa che il ballo sarà preceduto da un pranzo.

Ecco un esempio di invito a un ballo per una "debuttante":

PIERO e GIOVANNA BOLLENTI
(a mano) *in casa sabato 3 dicembre, dopo le ore 23*
per i 18 anni di Rosetta
Via Salaria, 102

La signora Bollenti, in questo caso, ha preferito utilizzare i suoi cartoncini da *cocktail.*

Chi riceve l'invito a un ballo non è tenuto a rispondere, a meno che non vi sia una cena seduta; in tal caso, però, chi invita completa il cartoncino con la dicitura S.P.R. (o con le varianti già indicate a pag. 68). Tuttavia, quando si è invitati per la prima volta in una casa, è più cortese, non intervenendo, mandare un biglietto per ringraziare e scusarsi.

Se il ballo è dato per festeggiare i diciotto anni di una ragazza, ci si fa precedere da fiori bianchi. Parenti e amici mandano un regalo.

La persona invitata può chiedere alla padrona di casa di condurre con sé un amico. Meglio un *amico* che un'amica. Ai balli, i cavalieri non sono mai troppi, mentre le ragazze in soprannumero che fanno tappezzeria offrono uno spettacolo demoralizzante. Ma chi rivolge questa domanda dovrà precisare nome e cognome della persona che intende condurre con sé e aggiungere qualche spiegazione rassicurante: « Si tratta del nipote dell'ingegner X, quello delle Acciaierie. È un ragazzo simpatico. Quest'estate abbiamo fatto una crociera sullo *yacht* di suo padre... ». Forse, lo *yacht* non è che una barca a vela e le acciaierie non sono che una fabbrichetta di spille da balia, ma lì per lì la signora non farà troppe indagini e il nipote dell'ingegner X verrà accolto con effusione dalla madre e dalla figlia.

Naturalmente, non si domanderà mai alla padrona di casa il permesso di portare qualcuno che essa conosce e che non ha invitato. Da parte sua, la signora non inviterà un giovane notoriamente fidanzato, senza la sua ragazza.

La sala da ballo dovrà essere semivuota: via tappeti e mobili ingombranti, tavolinetti, ecc. Dovrà esserci un numero considerevole di sedie (possono facilmente esser prese a nolo). Le luci dovranno essere accuratamente studiate. Fiori e piante verdi dovunque: nell'ingresso, in sala da pranzo, in salone. Se si ha un amico arredatore o architetto lo si potrà pregare di suggerire qualche tema di decorazione. Il sarto Cardin fece trasformare per un ballo uno dei suoi saloni in un interno di tenda orientale. Gloria Swanson, ai tempi dei suoi trionfi, trasformò l'intero pianterreno della sua villa in una giungla di piante esotiche tra le cui fronde svolazzavano pappagalli e uccelli del paradiso. Non suggerisco, naturalmente, alle mie lettrici di ispirarsi a questi capricci da miliardari. Anche con una cifra modesta si può rendere allegro e irriconoscibile un ambiente sussiegoso e "musone". Si può con poca spesa, per esempio, decorare la sala da ballo con dei grappoli di palloncini rossi e blu legati con enormi nastri dorati.

Non starò a dilungarmi sull'organizzazione di un ballo in grande. Chi si accinge ad affrontare una faccenda così complicata ha generalmente dietro di sé molta esperienza e molti balli in case altrui. Comunque l'organizzazione di un ballo verrà affidata a un esperto: per esempio al direttore di un albergo che provvederà a procurare camerieri supplementari, sedie, tavole da *buffet*, tavolini, tovaglie, stoviglie, e soprattutto organizzerà il bar e il *buffet* e suggerirà una buona orchestra.

Il *buffet*, in piedi o a tavolini, viene servito tra la mezzanotte e l'una. Fino a quell'ora, gli invitati bevono *champagne* (di ottima marca) e *wisky* (ma si avrà una riserva di altri liquori e di succhi di frutta per le signore). Salatini e dolcetti leggeri a loro disposizione.

Non si dimenticherà di offrire da bere ai componenti l'orchestra e di concedere loro una pausa al momento del *buffet*: anche a loro sarà offerto da mangiare.

Come si riceve a un ballo

In generale, chi dà un ballo invita a pranzo, prima, un certo numero di amici, affinché quando arrivano i primi invitati non abbiano a trovarsi spersi in un salone semivuoto. Appena incomincia la grande affluenza, i padroni di casa accolgono gli ospiti sulla soglia del salone. Una volta era il maggiordomo che li annunciava, ma ora, senza quell'aiuto, la signora è costretta a riconoscere da sé, o per lo meno a fingere di riconoscere, ognuno dei suoi numerosi invitati via via che la salutano. Finita questa prima fatica, dovrà, aiutata dal consorte, passare di gruppo in gruppo, presentare tra loro gli ospiti e ballare col commendator X che ha la grazia di uno schiacciasassi, mentre suo marito ballerà con l'intramontabile tardona, scrupolosamente evitata da tutti.

I ballerini

Eccezionalmente, può accadere che un ballerino si veda costretto a presentarsi personalmente a una signora. In tal caso s'inchina, declinando nome e cognome. La signora sorride... muta. Non risponde dicendo il suo nome, e nemmeno sussurra «piacere». Ma, ripeto, tutto questo non dovrebbe normalmente succedere: il signore che desidera invitare a ballare una bella sconosciuta, cerca il padrone o la padrona di casa, oppure si rivolge a un comune conoscente, affinché lo presenti secondo le regole. È dovere dei ballerini invitare, almeno una volta nel corso della serata, la padrona di casa, anche se lei non potrà accettare presa com'è dai suoi doveri di anfitriona. In questi doveri l'aiuteranno i figli: il ragazzo, dedicandosi alle invitate più neglette e sbiadite, la ragazza, incoraggiando i ballerini timidi e dirottando verso il *buffet* i più pericolosi pestapiedi.

CAPITOLO XX

LE VISITE

L'uso delle visite sta ormai scomparendo, ed è considerato doveroso soltanto in rare circostanze. *È doveroso far visita:*

A un amico ricoverato in clinica.

A una puerpera.

A una famiglia amica colpita da lutto.

A chi ci ha reso un servizio.

A una persona cui si è stati annunciati o raccomandati con qualche lettera di presentazione.

A un amico promosso a una carica importante.

A un'amica che ci ha partecipato il fidanzamento della figlia o del figlio.

Le visite ai malati e alle persone colpite da lutto devono essere brevi.

Il subalterno che fa una visita di ringraziamento a chi lo ha beneficiato non si trattiene più di dieci minuti. Non si siede, se non ne viene pregato.

Una visita di rallegramenti può prolungarsi di più, ma all'amico diventato ministro non si accennerà subito a quella certa pratica che ci sta a cuore, dichiarando che basterebbe una sua parolina perché, eccetera.

La signora che desidera essere ricevuta dalla moglie del superiore di suo marito incarica quest'ultimo di chiedere al suo capo in quale giorno e a quale ora la signora gradirebbe una visita. Se il superiore risponde laconicamente e poi non torna più sull'argomento, la proposta non verrà rinnovata.

Una volta, *prima di lasciare definitivamente la città*, era d'obbligo intraprendere un lungo giro di visite. Oggi si dà un *cocktail* di trenta, cinquanta persone (se le conoscenze sono troppo numerose, se ne danno due), e il problema del commiato è così risolto.

Anche *gli sposi, tornati dal viaggio di nozze*, risolvono il problema della ripresa di contatti con un *cocktail* (ma alla vecchia zia, all'anziano generale, ai testimoni di nozze, all'amica più cara della mamma faranno una visita).

E la *puerpera potrà sdebitarsi con le amiche* che sono andate a trovarla in clinica, offrendo un tè o un cocktail, appena rimessa e tornata a casa.

Visite di condoglianza

Se un decesso viene direttamente comunicato dai congiunti del defunto, ci si affretta a far loro visita. Altrimenti si manda subito un telegramma o un biglietto di condoglianze. Il giorno prima del funerale ci si reca a scrivere il proprio nome nell'album preparato nell'anticamera o nella portineria della casa in lutto. Se non c'è album, si lascia un biglietto di visita (piegato lungo il lato destro). Se qualche parente del defunto riceve le visite in salotto, ci si intrattiene pochi minuti e, se ci viene proposto di recarci nella camera ardente per un estremo saluto alla salma, non si risponde: « No, mi scusi, ma i morti mi fanno senso... ». Si ringrazia assentendo, quali che siano i nostri sentimenti. Giunti davanti alla salma, si fa il segno della Croce, eventualmente si recita una breve preghiera, e ci si ritira. Singhiozzi e commenti sono di pessimo gusto.

Non si sollecita un qualsiasi ricordo dello scomparso. Ma se esso viene dato spontaneamente dai familiari, si ringrazia con gratitudine.

Visite di sollecitazione

La signora che desidera un posto per il nipote, non approfitti di un *cocktail* o di una serata brillante per parlarne con l'influente commendatore che le è stato proprio allora presentato. Tutt'al più si limiti, in quell'occasione, a chiedergli se può riceverla in ufficio uno dei giorni seguenti. Quando sarà nel suo studio, sia breve, precisa e seria. Ottenuto il favore, ringrazi con una lettera. Alcuni giorni dopo, se crede, lo inviti a pranzo. Il nipote andrà in persona a ringraziare. Se la visita al commendatore non ha dato i risultati sperati, la vera signora si riterrà comunque sua debitrice (è stata cortesemente ricevuta e ascoltata), l'invito a pranzo avrà luogo lo stesso, e la sua cordialità non apparirà offuscata.

Una persona di condizione modesta che si rivolge per un favore a una persona di condizione superiore, si trattiene il minimo necessario. Se le è stata data una lettera di raccomandazione per qualche "pezzo grosso" non la spedisce per posta, ma la porta a mano e la consegna alla segretaria. Ottenuto il favore, scrive una lettera di ringraziamento e porta anche questa a mano. Se è sicura di non disturbare, può sollecitare una visita che sarà brevissima. *Mai e poi mai si ringrazia una persona di condizione superiore con un regalo.* Si rischierebbe di vedercelo restituire.

Recandosi in visita per la prima volta da una signora che si conosce appena, non ci si trattiene più di mezz'ora.

Le visite si fanno nel pomeriggio, generalmente tra le cinque e le sette e mezzo.

La signora che fa una visita formale, veste da pomeriggio, ma senza esagerare il tono. Avrà un cappello e in nessun caso se lo toglierà di testa. Lascerà impermeabile e ombrello nell'ingresso. Potrà tenere addosso il mantello (se si tratta di un modello elegante e non sportivo), ma si toglierà la pelliccia. Prima di entrare in salotto si sarà sfilati i guanti. Il signore lascerà il mantello, cappello e guanti nell'ingresso.

In salotto

La cameriera precede gli ospiti fino alla porta del salotto, la apre e si trae subito da parte per cedere il passo. Prima di ritirarsi, se non conosce gli ospiti e la padrona è in camera sua, s'informa: « *Chi devo annunciare, prego?* ». Tornerà poco dopo per riferire che la signora «*prega di attendere pochi minuti*». Rimasto solo, il signore non si siede, assume un contegno disinvolto, ma discreto: non sfoglia gli album di fotografie, non volta i soprammobili per verificarne l'autenticità. Piuttosto, si avvicina alla finestra e si interessa a quello che succede in giardino o per la strada. *La signora* può sedere, invece, ma si alzerà non appena entrerà la padrona di casa.

Appena entrata, la *padrona di casa* saluta la signora, poi il signore. Passato un quarto d'ora propone *caffè e cognac, se la visita avviene tra le tre e le cinque. Dalle cinque alle sei, offre del tè. Dalle sei in poi, cocktails e aperitivi.*

Quando gli ospiti accennano ad accomiatarsi, la padrona di casa suona per la cameriera e accompagna la signora non oltre la porta del salotto. Non accompagna gli uomini, ma si alza per salutarli.

Il padrone di casa accompagna gli ospiti fino nell'anticamera. La cameriera provvede a porgere impermeabili, mantelli, cappelli, ecc. e ad aprire la porta d'entrata. Mentre il padrone di casa aiuta le signore a infilarsi la pelliccia, lei aiuta gli uomini a indossare i mantelli. Eventualmente accompagna gli ospiti all'ascensore, apre il cancelletto e preme il pulsante della discesa.

Se qualche ospite preferisce scendere a piedi, la porta di casa non viene chiusa subito alle sue spalle: si aspetta che abbia sceso almeno una rampa di scale.

Visita di "digestione"

Una volta, chi era invitato a un pranzo importante doveva fare, nei giorni seguenti, una visita di "digestione" alla padrona di casa. Quest'uso è stato ormai abolito. *Ci si sdebita di un invito a colazione o a pranzo con dei fiori*

Anche le visite di Capodanno sono in via di sparizione; rimangono obbligatorie solo negli ambienti ufficiali.

Visita mancata

Se la persona che si va a trovare è fuori casa, o non può riceverci, si lascia un biglietto da visita con il *lato destro* piegato in tutta la sua lunghezza (l'angolo piegato non usa più).

CAPITOLO XXI

TELEFONO

Prima di intraprendere al telefono il racconto di un pettegolezzo-fiume, la signora farà bene ad assicurarsi che l'amica, all'altro capo del filo, abbia tempo da perdere e che nessuno, in casa, abbia urgenza di telefonare.

Se viene chiamata da un'interurbana tenga a mente che non toccherà a lei pagarne l'importo: lasci quindi a chi ha chiamato l'iniziativa di raddoppiare o no la comunicazione.

Il signore non coprirà di contumelie le signorine del telefono se la comunicazione viene interrotta e ripresa. Per loro questi sfoghi sono un diversivo, mentre per il suo interlocutore sono una manifestazione di villania.

Chi ha bambini piccoli non creda di far cosa gradita incaricandoli di rispondere all'apparecchio. Oltre a tutto, correrebbe il rischio di sentirli dire: « Chi è? La signora Rossi? quella che il babbo dice che ha la parrucca? », o qualcosa di altrettanto raccapricciante.

Alla domestica si raccomanderà di non rispondere che « la signora è uscita » dopo aver chiesto il nome di chi parla. Facendo così lascerebbe l'interlocutore con il sospetto che la signora sia uscita solo per lui.

Ecco un esempio di queste "telefonate sbagliate":

Cameriera: Pronto, casa dell'avvocato Bianchi.

Voce: C'è la signora?

Cameriera: Chi parla, prego?

Voce: L'ingegner Rossi.

Cameriera: Mi dispiace, ma la signora non è in casa.

E il povero ingegner Rossi riaggancerà il ricevitore, covando il sospetto che la signora Bianchi *non* sia in casa, *solo per lui*.

Però, in questo caso, anche il signor Rossi non è completamente dalla parte della ragione: infatti chi chiama ha il dovere di dire subito il proprio nome, senza attendere che gli venga richiesto. Ecco come deve regolarsi la persona di servizio, quando riceve la telefonata di chi non dice subito il proprio nome, per non dargli l'impressione che la signora non sia in casa "soltanto per lui".

Cameriera: Pronto, casa Bianchi.

Voce: C'è la signora, per favore?

Cameriera: No, la signora non è in casa. Vuol lasciar detto il suo nome, prego?

Voce: L'ingegner Rossi. Grazie.

Cameriera: Riferirò senz'altro. Buongiorno, signore.

Ed ecco una telefonata *veramente* corretta:

Cameriera: Pronto, casa Bianchi.

Voce: Qui l'ingegner Rossi. C'è la signora, per favore?

Cameriera: Mi spiace, ma la signora è uscita. Desidera lasciar detto qualcosa?

Voce: Grazie, non importa. La chiamerò all'ora di colazione.

Cameriera: Come desidera. Buongiorno, signore.

Il signore, se riceve la telefonata di un'amica della moglie, non fingerà di non averla riconosciuta, né parlerà in falsetto per evitare la scocciatura di uno scambio di convenevoli. Potrà, caso mai, abbreviarli con un pretesto di zelo: « Come sta, signora Zaini? Chiamo subito Adele che è certo impaziente di parlarle... ».

Se un invitato viene chiamato al telefono, la padrona di casa (o la cameriera) nel rispondere all'apparecchio non chiederà: « Chi parla? », ma avvertirà semplicemente l'ospite che « è desiderato al telefono ». Questi, prima di alzarsi, si scuserà con la padrona di casa. Si tratterrà all'apparecchio il minimo indispensabile.

Meglio non fare telefonate interurbane trovandosi in casa di amici: ma se per necessità si è costretti a farne, finita la comunicazione si chiede alla telefonista l'importo della telefonata. La cifra (arrotondata, se necessario) viene lasciata accanto all'apparecchio. Sul rovescio di un biglietto di visita, o sul foglio dell'agenda si potrà scrivere: "*Interurbana per Parigi di Gianfranco. Con mille grazie!*".

Non si telefona al momento dei pasti, né durante quelle ore in cui si potrebbe dare disturbo. Se la persona di servizio risponde che « La signora è a tavola », ci si affretta a raccomandare di non disturbarla, lasciando detto che ci chiami dopo pranzo (a meno che non si ritenga più riguardoso richiamarla noi stessi).

Se la signora è nel bagno, la cameriera non riferisce questo particolare, ma dice semplicemente: « La signora in questo momento è occupata » e aggiungerà: « La chiamerà lei stessa tra un quarto d'ora », oppure, se chi ha chiamato è un uomo: « La signora la prega di voler richiamare tra un quarto d'ora ».

È ammesso ringraziare con una telefonata il giorno successivo ad un pranzo, ma solo se non è la prima volta che si è stati invitati in quella casa. Dopo un primo invito, è più corretto mandare dei fiori.

Se qualcuno chiama per sbaglio il nostro numero, non si riappende dispettosamente il ricevitore; e se capita a noi di commetter un errore, ci si scuserà con educazione, se non altro perché potrebbe capitarci di ricadere in quell'errore, subito dopo, nel ricomporre il numero.

Duplex

Anni fa, un quotidiano di Roma riferì il caso di due vicini di casa finiti l'uno all'ospedale e l'altro a Regina Coeli per colpa di un "duplex" che avevano in comune. Un epilogo tanto tragico può essere evitato stabilendo all'atto del contratto le ore in cui ognuno avrà diritto a disporre liberamente del telefono. Fuori di quelle ore, chiamate e risposte non dovranno oltrepassare i due minuti.

Radio e televisione

È quasi sempre durante l'ora dei pasti che in famiglia le lingue si sciolgono e i genitori riescono ad avvicinarsi ai figli. Non si sacrifichino queste preziose occasioni alla pubblicità del formaggino e alla canzonetta di turno.

Se arriva una visita mentre la radio (o la televisione) è accesa, si spenga subito l'apparecchio a meno che l'ospite sia stato invitato, o si sia presentato da sé, proprio per assistere al programma. L'ospite, dal canto suo, non abuserà del vicino di casa, proprietario di un televisore: se questi lo invita una sera ad assistere a qualche trasmissione, accetti pure, ma per "quella sera" soltanto; anche se al momento del commiato gli si dirà: « Venga quando vuole ». Son frasi, queste, da non prendersi alla lettera se si tiene a mantenersi graditi. Se il vicino insiste, ci si potrà sdebitare dei ripetuti inviti presentandosi ogni tanto con una bottiglia di liquore, o dei cioccolatini.

È necessario ricordare che la radio va sempre regolata con discrezione in modo da non recare disturbo ai coinquilini? E che le persone di servizio non debbono orecchiare alla porta del salotto e tanto meno affacciarvisi, a meno che (strettamente in famiglia) non siano autorizzate a farlo? Ma in tal caso restino in disparte, astenendosi da qualsiasi commento (vedi cap. "Personale di servizio", a pag. 139).

I rapporti con i vicini di casa

È buona regola salutare sempre le persone che si incrociano per le scale o in ascensore. Non si gettano carte o cicche per le scale. Non ci si asciugano i piedi sullo stoino del vicino. Non si sgraffiano le pareti dell'ascensore con un temperino... Pare impossibile che queste cose abbiano a esser dette, eppure in nessun Paese quanto in questo nostro (che si vanta di esser depositario delle più antiche tradizioni di civiltà) abbondano i segni, piccoli e grandi, di un sistematico, gratuito vandalismo.

Chi prende possesso di un appartamento non è tenuto a presentarsi ai vicini, e tanto meno ad aspettarsi che sian loro a presentarsi. I migliori "condomini" son quelli dove ogni inquilino ignora, normalmente, il proprio vicino. Ho scritto "normalmente" perché può darsi che la signora della porta accanto abbia il telefono guasto e venga a chiedere il permesso di usare quello nostro: sarà subito accontentata e si spera che abbia il buon gusto di esser breve e di non allungare il collo, mentre telefona, verso una porta semiaperta, né di sfogliare il libretto dei numeri telefonici, sul tavolino.

Se accade che annaffiando il terrazzo si inondi l'inquilino del piano di sotto, non ci si ritira precipitosamente, ma ci si profonda, invece, in scuse mortificatissime che smonteranno subito il suo malumore.

Una mancia mensile al portiere, anche modesta, è sempre consigliabile e, passando davanti alla guardiòla, non si dimenticherà un cortese saluto: i portieri sono delle Divinità potenti e vendicative di cui conviene garantirsi la benevolenza, anche se vi consegnano un telegramma con due giorni di ritardo e alle vostre obiezioni rispondono (come è accaduto a chi scrive): "Non vedo proprio perché se la prende tanto... Dopo tutto era solo un telegramma di auguri!"

CAPITOLO XXII

I REGALI

Chi sceglie un regalo non deve tener conto delle proprie preferenze ma di quelle della persona a cui il dono è destinato. Regalare un vaso da fiori aerodinamico a chi ha un salotto Luigi XV sarebbe come regalare un sassofono a un'anziana signora. D'altra parte, se il donatore manca di competenza farà bene a non avventurarsi da solo nei negozi: preghi piuttosto un'amica di gusto sicuro di accompagnarlo e di aiutarlo con i suoi consigli.

Mentre in America i *regali pratici* sono graditissimi (calze, sottovesti di nailon, creme per il viso, ecc.), da noi sono ammessi solo tra parenti e amiche intime.

I *regali appropriati* devono essere scelti con tatto: non si regalerà, per esempio, un flacone di profumo a una signora notoriamente afflitta da eccessiva traspirazione. Né un portamonete al signore avarissimo e suscettibile. Regalare a un amico molto più ricco di noi qualche oggetto costoso, sproporzionato ai nostri mezzi, è sbagliato: lo si metterebbe in imbarazzo. Ugualmente sbagliato regalare a un'amica modesta qualche cianfrusaglia di poco conto: abituata a fare i suoi acquisti nei grandi empori riconoscerà subito la qualità scadente del dono. Meglio, quindi, regolarsi al contrario: un "pensierino" spiritoso e semplicemente affettuoso all'amico ricco, e un regalo anche piccolo, ma proveniente da un negozio di lusso, all'amica modesta.

Un inferiore non fa mai un regalo a un superiore: l'impiegato di una ditta non si presenta al direttore con un pacchetto il giorno del suo anniversario: bastano gli auguri. In certe ditte, l'anniversario del direttore viene festeggiato con un regalo collettivo: può risultarne, ahimè, una "Leda col Cigno", di alabastro, che egli si vedrà costretto a tenere in bella mostra nel suo ufficio per non deludere il personale.

Meglio, quindi, rivolgersi a qualche persona di gusto sicuro o ripiegare su una bella pianta.

Non si ringrazia con un regalo *la persona influente* che ci ha reso un favore. Quasi sicuramente il regalo verrebbe respinto. In questi casi, il beneficiato si sdebita con una letterina di ringraziamento (vedi il capitolo "Corrispondenza" a pag. 233) oppure se si è assolutamente sicuri di non disturbare, con una breve visita di ringraziamento.

Al dottore, all'avvocato che non vogliono mandare la parcella, si offre un regalo alla prima occasione: Natale, Capodanno, Pasqua. Se l'occasione sembra troppo lontana lo si manda subito, accompagnandolo con un cartoncino (vedi il capitolo "Corrispondenza" a pag. 233). La scelta del regalo, in questi casi, potrà essere agevolata dalla segretaria dell'avvocato, dall'assistente del medico, che conoscono i loro gusti: dischi di musica classica, libri d'arte, di letteratura (ben rilegati), oggetti da scrittoio, da salotto, ecc.

A un sacerdote si può regalare qualche bella stampa incorniciata. Un libro, non necessariamente di soggetto religioso, ma neppure frivolo, e rilegato con gusto. Oppure addirittura l'*opera omnia* di un autore classico. Gli si potrà regalare qualche oggetto pratico, se si è in rapporti amichevoli: un *plaid* per la sua poltrona, gli attrezzi di ottone per il camino, un piccolo apparecchio radio, ecc.

Di regola, alla *maestra di scuola* non si dovrebbero fare regali durante l'anno scolastico, a meno che non si tratti di un regalo collettivo. Si possono invece regalare dei fiori in qualsiasi occasione. Solo a fine d'anno, dopo la chiusura dei corsi, l'allievo può manifestarle la sua gratitudine con qualche pensiero più impegnativo: l'abbonamento a un ciclo di concerti, a qualche rivista settimanale o mensile, un bel soprammobile da salotto, dei dischi, una cartella di cuoio, ecc. (vedi anche il capitolo "Doveri verso gli insegnanti" a pag. 28).

Una volta, gli *esami di maturità*, la licenza liceale, venivano festeggiati nell'intimità e, il più delle volte, bastavano l'abbraccio materno e l'encomio paterno a colmare di gioia il promosso. Oggi, anche il semplice passaggio da una classe all'altra è pretesto per ricevimenti, viaggi, Vespe e Lambrette-premio. Il che è come proclamare a gran voce: « Ma guarda un po', chi l'avrebbe mai detto, il ragazzo ce l'ha fatta, si vede che dopo tutto non è così somaro come pareva ». Nel

Sud Italia, il conseguimento della laurea è addirittura un avvenimento che viene partecipato agli amici come un matrimonio, non esclusi i confetti. Nel Centro e nel Nord Italia ci si accontenta di una festicciola tra giovani, di un pranzetto tra parenti. Naturalmente i genitori, la sorella, il fratello, il fidanzato o la fidanzata, fanno un regalo. Non mi pare il caso di dover suggerir loro ciò che può far più piacere a uno stretto congiunto di cui debbono conoscere più o meno i gusti.

Dei regali di nozze si è già parlato esaurientemente nel capitolo omonimo a pag. 24. Chi desidera fare un regalo individuale agli sposi (senza cioè, inserirsi nella "lista"), tenga a mente che vassoi d'argento, candelieri, legumiere, vasi da fiori, vengono generalmente più apprezzati (e soppesati) dalle suocere che dagli sposi: questi preferiranno probabilmente una valigetta da *pic-nic*, un insieme di *opalines* per il bagno, una bella valigia per aereo, un *set* da golf, un radiogrammofono, ecc. Lo *shaker* da cocktail, di cristallo o d'argento, è un regalo generalmente gradito, ma attenti: mi è successo di contarne sedici, tra i regali di nozze di una sposina.

Alla neo-mamma, in clinica, si mandano fiori poco profumati e di preferenza bianchi. In visita, le si porta un regalino per il neonato: bavaglino, camicetta ricamata, golf, carillon da culla, spazzolina e spargitalco rosa o celeste.

Nulla deprime di più i ragazzi che i regali utili: calzini, fazzoletti, guanti, ecc. vengono generalmente accettati con disappunto. Le bambine, invece, gradiscono tutto ciò che fa parte dell'abbigliamento, spe-

cie dopo i dieci, dodici anni. A loro, si regalino pure sciarpe, guanti, borsette. Se poi si vuol vedere il viso di una quattordicenne irradiarsi di entusiasmo le si regalino sei paia di calze lunghe di nailon.

Al bambino che fa la Prima Comunione toccano per tradizione la penna stilografica o l'orologio. *Alla bambina* la catenina d'oro con medaglia, il braccialetto, una spilla di perline, o turchesi o coralli. E naturalmente all'uno e all'altra, messale e rosario.

Alla futura suocera: per questo argomento, vedi capitolo "Fidanzamento" a pag. 45.

Non si regalano mai fiori a un uomo. *Una ragazza non fa regali al suo flirt*, né li accetta da lui, a meno che non si tratti di libri, dischi e oggetti di poco valore. Il "quasi" fidanzato non è escluso dalla regola. Niente fotografie, niente gemelli da polso, né accendisigari, ecc., fino al giorno del fidanzamento ufficiale. Lui potrà mandare alla quasi fidanzata mazzi di rose o *boutonnières* di gardenie. Meglio evitare le orchidee, che non si addicono alle fanciulle. Potrà anche regalarle per la sua festa un profumo (di buona marca, leggero e di piccolo formato) oppure un libro, qualche oggetto "divertente" per la sua camera, ma niente importante. I regali importanti seguiranno l'anello di fidanzamento. *L'anello non dev'essere necessariamente ricambiato dalla fidanzata con un altro anello* (del resto sono rari, grazie al cielo. gli uomini che amano ingioiellarsi le dita). La scelta non manca, e spetta alla fidanzata decidere a seconda della cifra che può spendere: portasigarette d'oro o d'argento, bottoni e gemelli da sera, accendisigari, orologio d'oro o sveglia da viaggio, spazzole d'ebano o d'avorio cifrate, flaconi da *toilette* assortiti, ecc.

Come si comporta la persona che riceve un regalo da mano a mano

Svolge subito il pacco e ringrazia calorosamente. Se invece del costoso profumo che si aspettava, la signora si ritrova con una scatola di "marrons glacés" saprà dominarsi ed esclamare: « Ma come ha fatto a indovinare che sono così golosa? ».

In certe occasioni, il pacco non dev'essere aperto subito: quando, per esempio, si festeggia il proprio anniversario e non tutti gli invitati si presentano con un regalo; profondersi in esclamazioni di sorpresa e di gratitudine potrebbe sembrare un modo indiretto di rimproverare chi non ha portato nulla. Ci si dovrà limitare a ringraziare in sordina il donatore, aggiungendo che si aprirà il pacco non appena possibile. L'indomani, se non si è potuto farlo prima, si rinnoveranno, per telefono, i ringraziamenti.

CAPITOLO XXIII

CLINICA E DOTTORI

La signora

La signora che entra in clinica porterà un numero ragionevole di camicie da notte; né stravaganti, né troppo scollate. Per la convalescenza, alla vestaglia stile "Traviata" preferirà una veste da camera più tranquilla che non scandalizzi le suore. Porterà, se crede, alcune federe di cuscino ricamate, e un coprilenzuolo di seta per il periodo delle visite. Quando queste verranno, sarà ben pettinata e in ordine, il che non significa che debba farsi un *maquillage* da gran sera. Prima di entrare in clinica, si depilerà le ascelle e, se la salute glielo consente, si farà lavare i capelli.

Il signore

Il signore ricoverato in clinica reagisce all'abbattimento che caratterizza in simili circostanze gli appartenenti al così detto sesso forte: non rifiuta di farsi radere, né di cambiarsi la biancheria. Non detta le ultime volontà alla moglie prima di una appendicite, non spaventa i figli con frasi strazianti o lapidarie. Non si accomiata definitivamente dagli amici, se il termometro è salito a 37,9. Se l'infermiera che lo assiste è giovane e carina, vince l'imbarazzo e si lascerà curare: per lei, è un malato come un altro. Ma nemmeno tenterà frasi galanti che la metterebbero a disagio.

Regali

Le visite in clinica devono essere brevi e precedute da una telefonata a qualche familiare dell'infermo per informarsi dell'ora più conveniente. Non si porge la mano guantata a un malato. Non si fuma

nella sua stanza, a meno che non sia in convalescenza avanzata e sia lui a proporre una sigaretta. Non si parla ad alta voce. A una signora si portano dei fiori, escludendo gardenie, tuberose e tutto ciò che ha un profumo forte. A una puerpera si porta un regalino per il neonato. Ai bambini, libri illustrati, matite colorate, giuochi tranquilli. A un amico si portano libri, riviste, carte da gioco e sigarette. Agli uni e agli altri si possono portare dei frutti non indigesti: *grape-fruits*, arance scelte, un grappolino bellissimo d'uva, un ananas fresco, ecc.

Comportamento del malato

Chi è ricoverato in clinica non scambierà questa per un albergo né le infermiere per persone di servizio. Non suonerà il campanello tutti i minuti, non chiederà cose vietate dal regolamento, non si ribellerà se il brodo è troppo lungo e se le visite sono proibite oltre una certa ora.

Le infermiere

E le infermiere (mi si consenta un consiglio anche a loro) non si comporteranno con il malato come se egli fosse un oggetto deteriorato, messo lì in riparazione. Se soffre e si lamenta non gli diranno (come è accaduto a un mio conoscente): « Su via! stia allegro! non si faccia trovare dal dottore con quella brutta cera: quel poveretto è già tanto in pensiero per lei! ». Né gli si rivolgeranno come se fosse un bambino o un minorato psichico: non è detto che un'ulcera o una tonsillite debbano necessariamente ripercuotersi sull'intelletto.

Mance

Generalmente non si dànno mance alle infermiere, ma solo alle persone adibite alla pulizia della camera ed eventualmente al portiere. Alle infermiere è meglio offrire un regalino: ad esempio, una boccetta di profumo, una sciarpa, una scatola di dolci. Però si può offrire loro anche una somma in busta chiusa, che varierà a seconda della categoria della clinica e della durata della permanenza in essa. Quasi sempre, alle suore non è permesso accettare alcun dono. Alla superiora si lascia un'offerta per la cappella al momento del commiato.

Rapporti col medico di casa

Una delle domande più frequenti che mi sento fare è la seguente: « Come sdebitarsi con il dottore amico-di-casa che non vuole essere pagato? ». Si scelga un regalo. Per esempio:

- un libro d'arte
- un soprammobile
- un oggetto da scrivania.

Se si conosce sua moglie, si potrà mandare a lei un bel vaso da fiori con delle rose e un biglietto di augurio, in occasione di qualche ricorrenza.

Dopo essere stato esaminato dal dottore, il cliente in visita chiede all'infermiera, o alla segretaria che lo assiste, di « regolare il suo debito ». Se il dottore non è assistito da nessuno, rivolge personalmente a lui la domanda. Saputa la cifra, la depone sullo scrittoio. Quale essa sia, non va mai discussa.

Una signora giovane che si reca per la prima volta dal dottore farà bene a farsi accompagnare dalla madre, dal marito, da qualche amica. Se è costretta a presentarsi da sola e se il professore che la esamina non si comporta correttamente, per esempio esigendo che si spogli da capo a piedi senza necessità, lei non si lasci intimidire: abbia la presenza di spirito di dichiarargli chiaro e tondo che non ritiene affatto necessario mettersi nuda per un foruncolo nel naso.

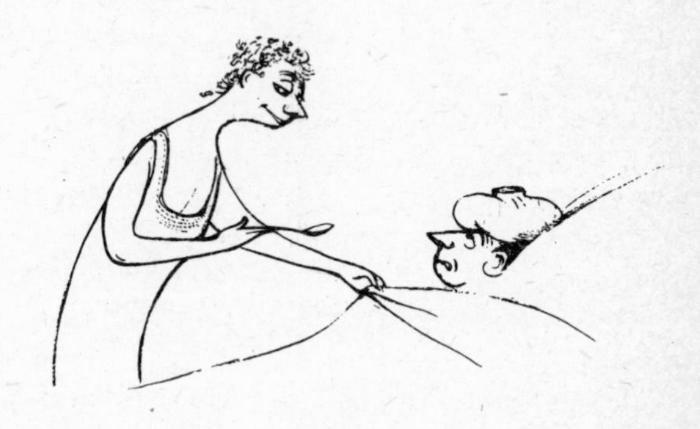

CAPITOLO XXIV

LUTTO

Funerali

Appena avvenuto il decesso, si deve preparare il defunto prima che sopraggiunga la rigidità cadaverica. Se non si ha l'animo di occuparsene personalmente, si ricorre a una suora o a un'infermiera che il medico saprà indicare. Il corpo lavato e vestito viene adagiato su un letto ricoperto da una tela cerata. Su questa si pone un lenzuolo di bucato nel quale il defunto verrà avvolto al momento di essere messo nella bara. Un cuscino basso sosterrà la testa. Le mani unite sul petto avranno tra le dita il rosario, o un crocifisso, o saranno semplicemente incrociate.

Accanto al letto, una tavola ricoperta di bianco con l'acqua benedetta e il ramoscello d'ulivo. Ai quattro angoli del letto, i ceri accesi. Le persiane vanno accostate, ma i vetri rimangono spalancati anche se si è in pieno inverno. La veglia non deve avere interruzioni: il defunto non va mai lasciato solo.

Per le formalità d'obbligo ci si rivolge con una telefonata, a qualsiasi ora del giorno o della notte, a un'impresa di pompe funebri. Questa provvederà a tutto: dichiarazione di morte, permesso di inumazione, corone mortuarie e, talvolta, perfino alle partecipazioni sui giornali. Contemporaneamente, ci si accorda col parroco per fissare l'ora e il modo in cui s'intende celebrare la funzione religiosa.

A queste trattative provvede un amico di casa o un parente, se i congiunti dell'estinto sono troppo sconvolti per prendere una qualsiasi decisione.

Il portiere dello stabile, subito avvisato, chiude a metà il portone. In qualche città, si usa appendervi un nodo di crespo nero. In portineria, o nell'ingresso, su un tavolo che può esser ricoperto di un panno nero, va messo un album (oppure un quaderno) per le firme dei visitatori.

Partecipazioni

Le partecipazioni personali non sono più in uso. È preferibile l'annuncio necrologico su uno o più quotidiani, completato eventualmente dalla scritta: "La presente vale come partecipazione personale".

Parenti e amici intimi vengono avvisati per telefono o per telegramma. Delle partecipazioni nei giornali si occupa in genere un amico di casa. Sarà opportuno raccomandargli di attenersi a una formula sobria. Le espressioni tipo "*I congiunti straziati*", "*La moglie disfatta*", "*I figli lacerati*", più che commuovere mettono a disagio: anche al dolore si addice un certo pudore. Ecco una formula corretta:

IERI, MUNITO DEI CONFORTI RELIGIOSI,
SI È SERENAMENTE SPENTO IL
PROF. MARIO DONATI
LA MOGLIE IDA DONATI LISI, I FIGLI
LUIGI, FRANCA E GIOVANNI NE DANNO
IL TRISTE ANNUNCIO

Oppure:

IL 23 AGOSTO SI È IMPROVVISAMENTE SPENTA
ANNA DE ROSSI DINI
PROFONDAMENTE ADDOLORATI NE DANNO PARTECIPAZIONE
I FIGLI CARLO, MARIA E ROSA
La presente vale come partecipazione personale.

Fiori

"*Non fiori ma opere di bene*", oppure "*Per desiderio dell'estinto si prega di non inviare fiori*" sono formule che parenti e amici del defunto non dovranno seguire alla lettera: nulla di più triste che una bara spoglia di fiori. Comunque, i fiori potranno essere lasciati nella camera mortuaria. A mano a mano che i fiori arrivano, una persona di famiglia provvede a mettere da parte i biglietti da visita che li accompagnano, per i ringraziamenti da spedire più tardi.

Visite

"Si dispensa dalle visite", è invece una formula che dev'essere rispettata. Insistere per essere ricevuti, nonostante l'espresso desiderio dei congiunti del defunto, è dimostrare poca educazione e nessuna sensibilità.

Normalmente, trascorsi uno o due giorni dal decesso, ci si limita a lasciare un biglietto da visita in portineria, oppure si mette la propria firma sull'apposito album. Solo gli amici intimissimi chiedono di essere ricevuti: se la risposta è negativa non insistono, né si dimostrano offesi.

Durata del lutto

Il lutto è osservato più severamente in provincia che nelle grandi città. E più nel Sud che nel Nord Italia. Tuttavia, in linea di massima, oggi è molto meno rigido di quanto lo era una volta. Un guardaroba completo di lutto stretto rappresenta una spesa non indifferente, senza contare che chi ha un impiego non può presentarsi in ufficio vestito di nero da capo a piedi.

Purtroppo, proprio perché un guardaroba interamente rinnovato rappresenta un lusso, e i veli donano, capita di vedere delle signore, mediocremente commosse dalla scomparsa di qualche lontano parente, mascherarsi improvvisamente da vedove d'operetta: velo da crocerossina, calze nere trasparentissime, occhi bistrati. Se incontrano per la strada un'amica, si fermano affrante e intanto si sbirciano compiaciute in qualche vetrina. Alle loro drammatiche gramaglie, inutile dirlo, è preferibile la strisciolina nera che spicca sul soprabito di una modesta impiegata.

Stabilire la durata di ogni singolo caso di lutto è difficile: *occorre tenere conto dell'ambiente, della città, dei legami con lo scomparso, della sensibilità dei congiunti.* Se le muore la suocera a Catania, la signora residente a Milano, recandosi a trovare la famiglia del marito porterà un lutto severo. Tornata a Milano, dove la suocera è sconosciuta e il marito non ha parenti, può limitarsi a un mezzo lutto.

Oggi, *sei mesi di lutto stretto è quanto ci si aspetta ragionevolmente da una vedova.* Seguiranno tre mesi di mezzo lutto. D'estate il lutto stretto è sostituito dal bianco. In teoria bianco assoluto, in pratica si può completarlo con accessori neri o viola (borsetta, scarpe, cintura, foulard). È meglio rinunciare ai gioielli che ornarsi di *jais* neri e di altre tetre pietruzze: col mezzo lutto le perle sono ammesse. Le calze sono nere e leggere d'inverno, e grigio-fumo d'estate. Ma al mare e in villeggiatura le signore giovani possono farne a meno.

La signora in lutto stretto non va al cinema né a teatro, non partecipa a serate né a pranzi mondani. Una certa contessa romana, all'amica che le rimproverava di aver dato un pranzo un mese dopo la morte del marito, rispose: « Che male c'era? Si trattava di uno spuntino a base di caviale e tartufi neri! ».

Una vedova che durante l'esistenza del marito ha condotto una vita non precisamente esemplare, abbia il buon gusto e la prudenza di non ostentare di colpo una disperazione sviscerata, perché ovviamente si dirà di lei che piange e rimpiange non tanto un marito adorato quanto un marito comodo.

Il lutto del signore va semplificandosi sempre più limitandosi alla cravatta, alle calze e alle scarpe. *Un vedovo* che voglia seguire regole più severe, veste per sei mesi di nero e poi per altri tre mesi, porta la cravatta, le calze e le scarpe nere.

Per la morte di genitori, suoceri e figli, ci si regola allo stesso modo: sei mesi di lutto stretto, tre mesi di mezzo lutto. *Per zii e zie* il lutto non è obbligatorio, ma tre mesi di mezzo lutto sono consigliabili se i rapporti con la persona defunta sono stati particolarmente affettuosi. Al contrario, non si ostenterà un lutto esagerato per la morte di un parente sempre vissuto in America, di cui ci si ricorda appena.

Ai funerali, la madre, la vedova, le sorelle del defunto possono apparire velate. Solleveranno il velo per ricevere l'abbraccio dei congiunti dopo la funzione religiosa.

CAPITOLO XXV

ORDINAZIONE SACERDOTALE

Quando un giovane professo sta per ricevere l'Ordinazione Sacerdotale, o lui o i genitori mandano agli amici un cartoncino d'invito. Eccone la formula corretta:

IL PADRE *BRUNO ALDROVANDI*
DELLA COMPAGNIA DI GESÙ
CELEBRERÀ LA SUA PRIMA MESSA
DOMENICA 10 LUGLIO ALLE ORE 9
NELLA CHIESA DI SAN GIOVANNI A PORTA LATINA.

L'Ordinazione Sacerdotale avrà luogo nella Chiesa di S. Domenico sabato 9 luglio dalle 8 alle 10.

Roma, piazza del Gesù, 16

oppure:

CARLO E MARIA ROSSI
PARTECIPANO L'ORDINAZIONE SACERDOTALE
DEL LORO FIGLIO GIOVANNI,
CHE AVRÀ LUOGO
NELLA CHIESA DI SANTA CHIARA IL 6 GIUGNO DALLE 8 ALLE 10,
E LA SUA PRIMA MESSA CHE VERRÀ CELEBRATA
NELLA CHIESA DI SAN LUIGI AL CORSO
IL 7 GIUGNO ALLE ORE 9

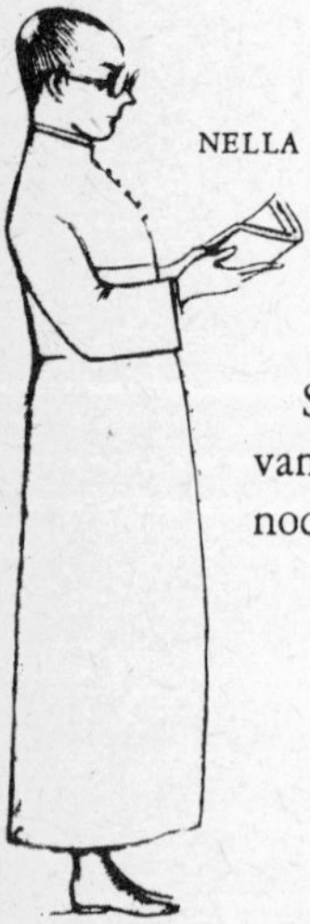

Subito dopo la cerimonia della Prima Messa parenti e amici vanno a felicitarsi col neo-sacerdote ed eventualmente si inginocchiano per riceverne la benedizione.

Gli amici possono mandare dei fiori per la chiesa o un regalo, naturalmente di carattere religioso (breviario, custodia per portare il Viatico ai malati, stola, calice, ornamenti, ecc.).

Alla colazione che segue la cerimonia, il sacerdote siede alla destra della madre. Agli amici e ai parenti viene mandata un'immagine-ricordo; sulla facciata bianca vanno stampati la data e il luogo della Consacrazione, completati eventualmente da un versetto della Sacra Scrittura o da una preghiera.

Per la vestizione di una suora il cartoncino d'invito potrà essere redatto così:

CARLO E MARIA ROSSI
ANNUNCIANO CHE LA FIGLIA
ANNA MARIA
PRONUNCERÀ I VOTI SOLENNI
NELLA CAPPELLA DELLE SUORE DEL S. CUORE
MARTEDÌ 3 MAGGIO ALLE ORE 9
CELEBRERÀ MONSIGNOR X
LA CERIMONIA DEL POMERIGGIO SARÀ PRESIEDUTA DAL
REVERENDO PADRE PARISI ALLE 16.30

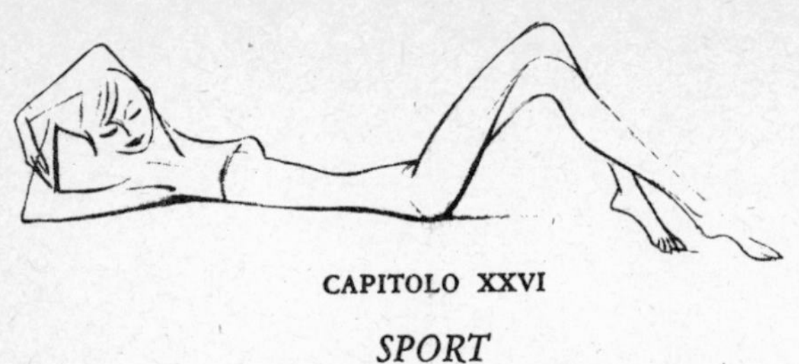

CAPITOLO XXVI

SPORT

Il "cattivo sportivo" si adombra se perde, vuole stravincere se vince, si vanta con gli amici delle sue prodezze, esibisce volentieri i propri muscoli.

Gli fa paio la "cattiva sportiva" che interrompe una gara di tennis per incipriarsi il naso, che accusa un malore se è in svantaggio, che esige, durante una regata a vela, che si torni indietro perché ha lasciato in cabina gli occhiali da sole.

Tennis

La tenuta da tennis è rigorosamente bianca. Per le donne: *shorts*, o gonnellina corta. Calzerotti e scarpe di tela.

Uomini: *shorts* di tela. Camicia o *pullover*, immacolati. Calzettoni e scarpe bianche.

Golf

Il golf è lo sport di ogni età. Non esige sforzi eccessivi, e offre il vantaggio di lunghe camminate in paesaggi ameni. Si giuoca con dei bastoni di varie fogge che si chiamano *clubs*. Il ragazzo incaricato di portare lungo il percorso la sacca dei *clubs*, si chiama *caddie* (pronunciare *chèddi*).

Per le donne, la tenuta da golf classica consiste, d'inverno, in una gonna a pieghe o svasata, di tessuto piuttosto pesante (contro gli scherzi del vento), oppure pantaloni; *pullover* e giacca di taglio sportivo.

D'estate: gonna e camicetta o pantaloni di tela. Calzerotti e scarpe con la suola di gomma per terreno secco, scarpe chiodate per terreno umido. Volendo, guanti di tipo sportivo.

Tenuta maschile: *pullover*, giacca sportiva, *foulard*, pantaloni di flanella, scarpe come per donna.

Sci e pattinaggio

Lo sci e il pattinaggio sono *sports* irti di trabocchetti, tra i quali quello del "ridicolo" non è certo il più trascurabile. Una prosperosa signora che crolla a ranocchio sulla pista da pattinaggio, un austero professore che sparisce a capofitto nella neve suscitano ilarità nonostante i rischi della caduta. Pattinaggio e sci richiedono doti di equilibrio, elasticità e coraggio. Chi non le possiede si affidi piuttosto alla slitta familiare; oppure si consoli sfoggiando *toilettes* sportive sensazionali. Ma anche in questo campo attenti al ridicolo: pantaloni attillati e in tinte accese sono permessi solo a chi ha un modestissimo didietro. Chi lo ha esuberante, preferisca colori scuri o neutri e porti casacche sciolte o giacche lunghe.

Il mare

Sbaglia chi crede che l'importanza del galateo diminuisca a misura che ci si spoglia, per cui in costume da bagno preoccuparsi delle buone maniere sarebbe assolutamente superfluo. Al contrario: tanto meno una persona è vestita, tanto più dovrebbe sorvegliare i propri atteggiamenti. Una donna in "bikini" che cammina ancheggiando come se entrasse in un salone, è goffa. Seduta, con le gambe buttate di qua e di là, è sconveniente. Le collane, il bocchino, il *maquillage* pesante, i tacchi alti stonano sulla spiaggia. Questi ultimi, poi, vanno evitati con i pantaloni.

Sconsigliabile il costume a due pezzi a qualsiasi donna che abbia l'addome funestato da salcicciotti o da grinze. Il costume a pagliaccetto, a gale, a nastri e altre leziosaggini vanno lasciati alle giovanissime. Non se ne rammarichino quelle che non lo sono: la linea classica del costume a un pezzo ha uno stile sicuramente signorile.

Gli uomini, specie se non più giovanissimi, debbono portare costumi decenti, evitare copricapi e accessori stonati.

Equitazione

Una volta, la tenuta da amazzone era rigidamente formale. Una signora che si fosse presentata a cavallo al Bois o a Villa Borghese, in *breeches* e camicetta a maniche rimboccate, avrebbe prodotto lo stesso effetto che produrrebbe oggi presentandosi a una prima all'opera in *blues-jeans.* La tenuta di rigore – cappello duro, cravatta inamidata, giacca scura – è obbligatoria solo per la caccia alla volpe. Altrimenti: giacca sport, *pullover*, camicetta, *foulard*, pantaloni da stivale (*breeches*) o lunghi alla caviglia, ma sempre in colori e tessuti classici. Cappello facoltativo, guanti obbligatori.

Il giuoco

La signora che riunisce degli amici per una canasta o per un *bridge* deve sapere esattamente quante tavole desidera comporre; farà in modo che ad ognuna si trovino dei giocatori dello stesso calibro e di condizioni finanziarie all'incirca pari. Se, per la defezione di qualche giocatore, si vede costretta a chiedere a un altro invitato di fare da "quarto" e ha l'impressione che questi possa trovarsi imbarazzato per l'ammontare della posta, può proporgli di fare società con lei dividendo vincite e perdite.

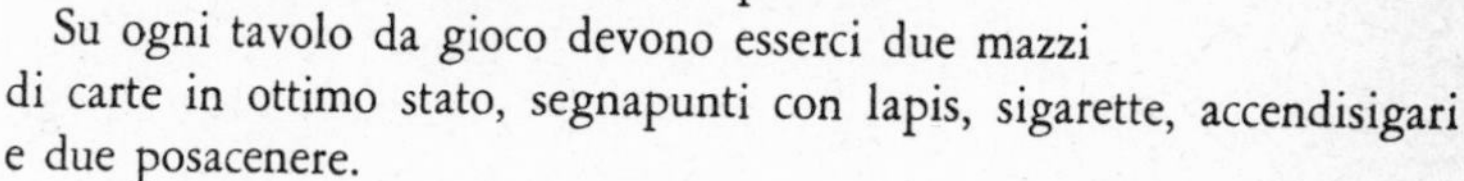

Su ogni tavolo da gioco devono esserci due mazzi di carte in ottimo stato, segnapunti con lapis, sigarette, accendisigari e due posacenere.

Il buon giocatore deve:

1) stare al gioco con assoluta impassibilità qualunque sia l'esito della partita;
2) accertarsi, prima di incominciare il gioco, di poter far fronte alla posta.

Non deve:

1) concentrarsi all'infinito prima di giocare una carta;
2) criticare il modo di giocare del *partner*, o indignarsi per la fortuna dell'avversario.

Per evitare situazioni imbarazzanti, è consigliabile fissare, all'inizio del gioco, l'ora alla quale si intende smettere o incominciare l'ultima mano.

Circolo (o club)

Il signore che desidera far parte di un *club* ne parla con qualche amico, membro di quel Circolo. Questi, prima di iniziare la procedura sente che aria tira tra i soci; l'aspirante dovrà esser gradito almeno alla maggioranza. Poi, insieme a un altro socio (i proponenti devono essere due), indirizza al presidente del *club* una lettera per proporre il signore. Questa lettera sarà letta in Consiglio e l'accettazione del nuovo socio messa ai voti. Se bocciato, il signore non dichiarerà a destra e a sinistra che quel Circolo è composto unicamente di rammolliti e di imbecilli. (E allora perché ci teneva tanto a farne parte?) Né toglierà il saluto all'amico che ha cercato di introdurlo e che ha fatto quello che ha potuto.

Al *club* i soci possono invitare i propri amici (ma il buon gusto vuole che non si inviti una persona che potrebbe essere sgradita agli altri). Pagano i loro pasti alla fine del mese e rispettano meticolosamente i regolamenti. Le dimissioni vanno mandate per iscritto al presidente (o al segretario), spiegandone il motivo.

Il passatempo preferito dai membri di un Circolo è quasi sempre il gioco. Chi perde è tenuto a pagare il suo debito entro ventiquattro ore.

CAPITOLO XXVII

CONSIGLI PER IL GUARDAROBA

Il signore

Il vero signore porta un abito nuovo come se fosse usato e un abito usato come se fosse nuovo. Non mette bretelle se non ha il gilet. Sa che le cravatte vanno intonate ai calzini e che quelle a disegno stanno bene solo con le camicie unite. I calzini, poi, debbono essere lunghi; quelli corti, a calzerotto, sono orrendi e nulla mette più a disagio, in un salotto, che l'apparire di un polpaccio livido o villoso quando un invitato accavalla le gambe. Da qualche tempo anche la moda maschile si sbizzarrisce, ha i suoi capricci. Personalmente non mi dispiace che un giovane vesta con una certa fantasia né che abbia una pettinatura romantica, a patto beninteso che sia di taglio impeccabile e pettinatissima (il che ahimè è raro). Ma tutto ciò si addice soltanto ai giovani. L'uomo "fatto" resiste alle tentazioni sgargianti, veste con sobrietà in ufficio e soltanto al mare o in montagna si concede qualche originalità di abbigliamento. Tuttavia anche il "classico" ha i suoi trabocchetti: il vero signore baderà bene a non inciamparvi: niente quadrettoni per recarsi alla partita, né rigoni bianchi su fondo marrone per recarsi al *cocktail.* Se ha il tipo marcatamente "meridionale" non aspira a passare per un gentleman inglese: lascia da parte panciotti fantasia e calze scozzesi e preferisce lo stile classico a quello sportivo. Profuma leggermente alla lavanda i suoi fazzoletti, ma se costretto a far uso di brillantina, pretende che sia assolutamente inodore. Non porta gioielli; portasigarette e accendisigari né massicci né troppo vistosi. Si concede un anello al mignolo solo se ha bellissime mani.

Se è freddoloso indossa la canottiera, magari a mezza manica, ma i mutandoni alla caviglia, mai. I mutandoni sono uno squallido addio

alle armi, la mortificante bandiera bianca della resa. Il giorno in cui dovesse inaugurarli, il vero signore perderebbe ogni diritto di voltarsi ad ammirare una bella donna. Naturalmente, avrà una scusa valida per indossarli chi è invece minacciato dal tetro spettro dell'artrite e della sciatica.

La signora

La signora elegante non si lascia mai incantare: i complimenti delle amiche, le lusinghe della sarta lasciano il tempo che trovano; lei crede solo ai suoi occhi, cerca sempre di vedersi così com'è e non come le piacerebbe essere. Se prova un vestito, si guarda nello specchio, di faccia e di profilo, al "naturale", senza cioè rientrare esageratamente la pancia, né raddrizzare le scapole, se tutt'altro è il suo atteggiamento abituale. Se le occorre un consiglio si rivolge al marito: i mariti, è vero, di vestiti capiscono poco o nulla; particolarmente, poi, se si tratta di quelli delle proprie mogli. Ma hanno in generale una giusta veduta d'insieme, si accorgono al primo colpo d'occhio se un abito sta bene o male, anche se non ne saprebbero dire il perché, e hanno soprattutto quel senso del ridicolo che manca assai spesso alle donne.

La vera signora sa che *sex appeal* e "buon gusto" son due vocaboli inconciliabili e agli opposti. Sacrificherà naturalmente il primo al secondo. Non aspirerà tuttavia a rassomigliare a una *mannequin*. Le *mannequins* son fatte per "presentare" i modelli; debbono immedesimarsi all'abito che indossano, intonare a questo l'andatura, l'espressione, l'umore. Sono, insomma, le docili ancelle della Moda. Ma la vera signora non serve la Moda, chiede piuttosto alla Moda di servir lei. Adatterà il modello scelto al suo tipo, alla sua *silhouette*. Non si pettinerà alla *baby doll* se ha un naso aquilino; non si tingerà i capelli in giallo-rosa né si truccherà grevemente come la Diva di turno. Le Dive si pettinano e si truccano da "dive" per necessità di mestiere. Lei ha la fortuna di non dover regnare nei rotocalchi, ma nei salotti, dove il gusto è più raffinato e difficile. La vera signora preferisce sempre la qualità alla quantità. Meglio due abiti per stagione, di buon tessuto e di buon taglio, che cinque o sei, scadenti e mal confezionati. Rinunci alla pelliccia, se per comprarsi questo capo dovrà poi rinunciare per molto tempo ad avere degli accessori di prima qualità. Sono gli accessori, guanti, borsetta, scarpe, profumo, che denunciano prima di tutto l'eleganza della vera signora.

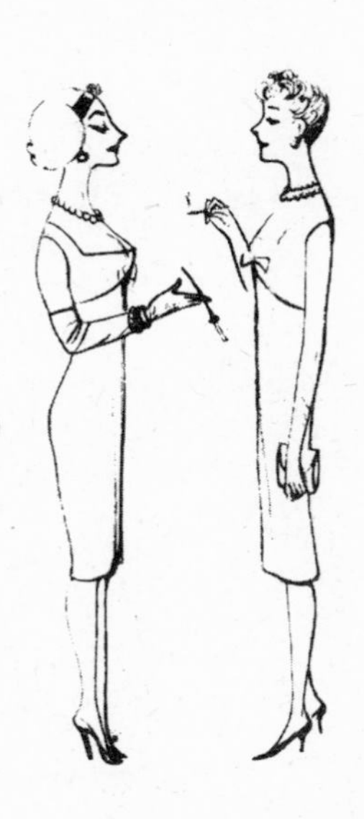

Generalmente ben proporzionate dalla testa alla vita, le nostre donne, si sa, peccano spesso dai fianchi in giù. Purtroppo credono di rimediare ergendosi su tacchi altissimi senza considerare che, mentre se ne avvantaggia la loro statura, ci scapita moltissimo il loro modo di camminare. Con l'abito elegante da pomeriggio o da sera, portino pure dei trampoli, ma se hanno un appuntamento al Parco o se sono invitate in gita, si rassegnino a rimaner piccole: a che varrebbe un'apparenza da levriero se l'andatura, poi, è quella di un'anatra azzoppata? Senza contare che da un paio di calzature scomode possono nascere infinite catastrofi: conosco una matura e inconsolabile zitella che deve il suo stato civile a un'assurda scenata, fatta vent'anni prima al fidanzato, semplicemente perché le scarpe troppo strette le avevano messo i nervi a fior di pelle.

Ripeto, per concludere, che i tacchi stonano con i pantaloni di qualsiasi genere, *shorts* compresi.

CAPITOLO XXVIII

CORRISPONDENZA

In qualche circostanza, alla telefonata è preferibile il cartoncino scritto. Si scrive (cartoncino o lettera):

- *Per accettare o rifiutare un invito scritto.*
- *Per esprimere la propria simpatia a un amico colpito da qualche disgrazia.*
- *Per rallegrarsi di un fidanzamento, di un matrimonio o di una nascita (ma non prima di aver ricevuto la partecipazione scritta degli interessati). Se si tratta di semplici conoscenze, un telegramma è sufficiente.*
- *Per esprimere le proprie condoglianze per un lutto. In questo caso, la lettera può precedere l'annuncio ufficiale: ma è sempre consigliabile assicurarsi bene della fondatezza della notizia, a scanso di spiacevoli equivoci.*

Carta da lettere

Chi scrive a un'alta personalità, usa carta di blocco, formato grande, qualità liscia e bianca. Per la sua corrispondenza la signora può scegliere tra blocco e formato quaderno. Le tinte saranno quelle classiche: bianco, grigio, azzurrino. Le buste, quadrate o rettangolari, purché di proporzioni normali. *L'eccesso di originalità in questo campo è sempre di cattivo gusto.*

Le iniziali sono consigliabili solo alle ragazze e devono essere stampate piccole e preferibilmente in rilievo. La signora potrà farsi stampare l'indirizzo (sempre in rilievo) in alto, a destra del foglio. Non lo farà stampare sulle buste. Caratteri classici: corsivo o stampatello.

Colori: blu sulla carta azzurrina, nero su quella bianca, grigio scuro su quella grigia. Esempio:

Piazza della Libertà 3, Roma.

Chi abita in campagna può far riprodurre sulla carta da lettere un disegnino della villa, purché sia fatto con gusto. Se si tratta di una località fuori mano, si può indicare anche il recapito postale, quello telegrafico e quello telefonico. Le buone cartolerie dispongono di un vasto assortimento di modellini grafici tra i quali è facile scegliere. Si può far stampare (preferibilmente in solo rilievo, senza tinta) lo stemma o la coroncina corrispondente al titolo.

Come si comincia

A una signora che gli dimostra amicizia, il signore può scrivere: "Cara Amica" con la "A" maiuscola. Scriverà: "Cara Giovanna", se lei lo ha autorizzato a chiamarla per nome. Lei gli risponderà: "Caro Rossi" o "Caro Piero".

"Gentile Signora" si addice a rapporti più cortesi e formali. Il semplice "Gentilissima", è *snob* e ricercato. "Cara Signora", "Caro Professore", "Cara Contessa" sono le formule correnti tra persone della stessa educazione.

Una lettera d'affari incomincerà: "Egregio Avvocato", se chi scrive è un uomo. La signora invece preferirà, più femminilmente: "Gentile Avvocato" o "Caro Avvocato".

Ma *scrivendo a un fornitore* o al titolare di una ditta diventerà formalissima anche lei. "Spett. Ditta Tal dei Tali", in alto a sinistra, e subito sotto il motivo della lettera. Potrà accomiatarsi con "i migliori saluti".

Come conclude lui

Mentre, all'estero, le formule di commiato nella corrispondenza seguono delle regole più o meno fisse, da noi bisogna affidarsi all'istinto e alla misura, badando di non passare da un eccesso di disinvoltura a un eccesso di ampollosità antiquata.

I *distinti saluti* appartengono esclusivamente alle lettere affaristiche o commerciali. Per tutte le altre si dispone di saluti *affettuosi, cordiali, amichevoli, migliori* e *devoti,* a scelta.

Dei saluti *devoti* fa uso normalmente il signore, quando si accomiata da una signora. "Le bacio devotamente la mano" (o "rispettosamente"), è una formula un po' antiquata ma sempre valida e corretta.

Scrivendo a una nobildonna il signore si accomiaterà così: "Voglia gradire, contessa gentilissima, l'espressione della mia più viva (o "rispettosa") devozione". Se la signora l'onora della sua amicizia: "Accolga, cara Donna Maria, i miei più devoti saluti".

Se scrive a un conoscente sposato, non dimenticherà i saluti alla moglie, ed eventualmente alla madre: "La prego di ricordarmi devotamente alla signora Ida (la madre) e alla signora Carla (la moglie)".

Oppure: "Ricordami alla carissima Carla, e i miei rispettosi omaggi alla signora Ida".

Gli *ossequi* hanno una sfumatura di modestia: ne farà uso chi si rivolge alla moglie di un superiore.

Come conclude lei

Alle sue coetanee, la signora manderà saluti *cordialissimi*, o *amichevoli*. Se tiene a marcare un po' le distanze, metterà: *molto cordialmente*, o *con molti buoni saluti*. I *cari saluti*, grammaticalmente scorretti, fanno ormai parte delle formule correnti.

La signora che scrive a un'altra signora più anziana o di molto riguardo chiuderà la lettera come segue: "Voglia gradire, gentile Signora, i miei più devoti saluti". Se l'anziana signora le dimostra particolare simpatia, potrà scrivere: "Voglia gradire, gentile Signora, tutta la mia affettuosa devozione".

Come si firma

Un uomo firma con nome e cognome, qualche volta col solo cognome preceduto dall'iniziale del nome (non firma mai, per esempio: "Avv. Carlo Danzi", o "Cav. Mario Marini".) *Se scrive a una signora, firma con nome e cognome*, a meno che l'amicizia gli consenta di usare soltanto il nome.

Una ragazza firma col solo nome, scrivendo agli amici. Agli altri, con nome e cognome.

Una signora firma con il nome seguito dal cognome del marito. Se crede, può aggiungere a questo il proprio. *Una vedova* non firma mai *"Maria Bianchi vedova Rossi"*, ma continua a firmare come quando il marito era vivo. Solo nei documenti ufficiali le è consentito di precisare *"vedova Rossi"*.

Una persona titolata non firma col proprio titolo, ma semplicemente con nome e cognome anche se si rivolge a un subalterno.

Rapporti sociali

Scrivendo a un superiore, una impiegata o un impiegato incominciano: "Signor Direttore", o "Signor Avvocato", e concludono: "Voglia gradire i miei rispettosi (o deferenti) saluti" (oppure: "Con ossequio" o "Con deferente ossequio").

Scrivendo a un subalterno ci si accomiata: "Con molti cordiali saluti" o "Con i migliori saluti" e si firma con nome e cognome.

Una lettera di congratulazioni può chiudersi pressappoco così: "Ancora mille auguri e infiniti rallegramenti di tutto cuore". Una di condoglianze: "Con profonda e sincera simpatia" oppure: "Le sono vicino con commossa e sincera simpatia".

Scrivendo a una persona che ci ha beneficiati si concluderà: "Con rispettosa gratitudine" o "Con commossa gratitudine" o "Con profonda gratitudine", a seconda dei rapporti fra benefattore e beneficato.

A un militare ci si rivolge così: "Caro Tenente", "Caro Maggiore", "Caro Generale". Ma *a un ufficiale di Marina* di qualsiasi grado superiore, eccettuato quello di Ammiraglio, si scrive: "Caro Comandante". All'Ammiraglio ci si rivolge chiamandolo col suo grado. Solo quando la corrispondenza è di tono formale si scrive "Signor Tenente", "Ill.mo Signor Generale", ecc.

Rivolgendosi a un Cardinale si scriverà: "Eminenza Reverendissima".

Al Vescovo e all'Arcivescovo "Eccellenza Reverendissima".

Scrivendo al Gran Maestro dell'Ordine di Malta "Altezza Eminentissima".

A un dignitario della Chiesa che non sia Cardinale ci si rivolge scrivendo: "Reverendissimo Monsignore".

Accomiatandosi da un Alto Ecclesiastico si scrive: "Prego Vostra Eminenza (o Eccellenza) Reverendissima (o Monsignore) di accogliere l'espressione del mio profondo rispetto".

Scrivendo al Presidente della Repubblica, si incomincia: "Signor Presidente". Si chiude: "Voglia gradire, signor Presidente, l'espressione del mio profondo ossequio".

Scrivendo a un sovrano, si incomincia: "Maestà" e si chiude: "Prego Vostra Maestà di accogliere i sensi della mia profonda devozione" oppure "...di accogliere l'espressione del mio profondo omaggio".

A un Ambasciatore, un Nunzio, un Ministro Plenipotenziario si incomincia: "Signor Ambasciatore", "Eccellenza Reverendissima", "Signor Ministro", e si chiude: "La prego di gradire, Signor Ambasciatore (Eccellenza Reverendissima o signor Ministro), gli attestati della mia più alta considerazione".

A un Senatore, a un Deputato ci si rivolge con l'appellativo di "Onorevole". Ci si accomiata con: "Voglia gradire l'espressione della massima considerazione".

Rivolgendo una richiesta a un Prefetto, a un Sindaco, a un Rettore d'Università, a un Preside ecc. si comincia: "Signor Prefetto" (o "Signor Sindaco" ecc.), e si chiude con la formula protocollare: "Con osservanza".

A monaci e suore appartenenti a qualsiasi ordine religioso si scrive: "Reverendo Padre" o "Reverenda Madre".

Una lettera a un sovrano incomincerà con "Maestà" (al Re o alla Regina); a un Principe di sangue reale con "Altezza Reale". Nel contesto si scriverà "Vostra Maestà" nei due primi casi, e "Vostra Altezza" nel terzo caso. Si concluderà così: "Rispettosamente sono di Vostra Maestà (o di Vostra Altezza Reale) devotissimo ecc.".

Suppliche

Una *supplica al Sommo Pontefice* si incomincia: "Beatissimo Padre" o "Santità". Si conclude: "Prostrato al bacio del S. Piede imploro l'Apostolica Benedizione, di Vostra Santità umilissimo figlio". (Ricevuti in udienza, Gli si dirà: "Padre Santo".)

A *un Cardinale*, si incomincia: "Eminenza Reverendissima" e si chiude: "Prostrato al bacio della Sacra Porpora sono di Vostra Eminenza l'umilissimo servitore".

A *un Vescovo* si incomincia: "Eccellenza Reverendissima" e si chiude: "Prostrato al bacio del Sacro Anello imploro la Benedizione e sono di Vostra Eccellenza devotissimo" oppure "Con il più profondo rispetto di Vostra Eccellenza Reverendissima".

Al Presidente della Repubblica: "Signor Presidente". Si chiude: "Rispettosamente sono di Vostra Eccellenza devotissimo".

Non si indirizzano mai telegrammi a personaggi eminenti e, del resto, è preferibile non rivolgersi direttamente a loro (eccetto in casi particolari), ma ai dignitari adibiti alle funzioni di intermediari. Intermediario di Sua Santità è il Maestro di Camera. Del Presidente della Repubblica, il Segretario Generale della Presidenza. Del Re, il Primo Aiutante di Campo Generale; dei Principi Reali, il Primo Aiutante di Campo; della Regina, il Cavaliere d'Onore o il Gentiluomo di Corte di Servizio.

Buste e indirizzi

La lettera dev'essere piegata con l'intestazione all'interno. Nell'incollare la busta, la signora eviterà di lasciare tracce di rossetto. Il francobollo non dovrà essere messo capovolto, ma ben diritto e al suo posto d'angolo a destra. Aggiungere poscritti sul retro della busta non è corretto.

L'indirizzo sarà scritto chiaramente e senza cancellature. Si potrà abbreviare il titolo professionale del destinatario: *Dott.*, *Prof.*, eccetera, ma non si abbrevierà la qualifica di Signora. Niente *Gentilissima, Illustrissimo, Chiarissimo,* e uso moderato di *Donna* e *Nobildonna.*

Ci si ricorderà che, indirizzando al figlio e alla figlia di un nobile, il titolo deve essere seguito dal nome. Il titolo seguito direttamente ed esclusivamente dal cognome spetta soltanto al capostipite. Al conte padre, si scriverà: "Conte Ricci"; al conte figlio: "Conte Giacomo Ricci". Scrivendo al figlio di un duca o di un principe si metterà per esempio: "Don Augusto Prati" o "Don Alessandro Ferri". Le qualifiche di *Don* e *Donna* possono spettare anche al figlio o alla figlia di un conte o di un marchese di Baldacchino.

Qualche osservazione

Non si scrivono lettere col lapis, né con inchiostro colorato: solo quello blu e quello nero sono ammessi. Non è sconveniente adoperare penne a sfera, che sono ormai entrate nell'uso comune, purché naturalmente funzionino a dovere.

In alto del foglio, a destra, si scrive la data, che può essere ab-

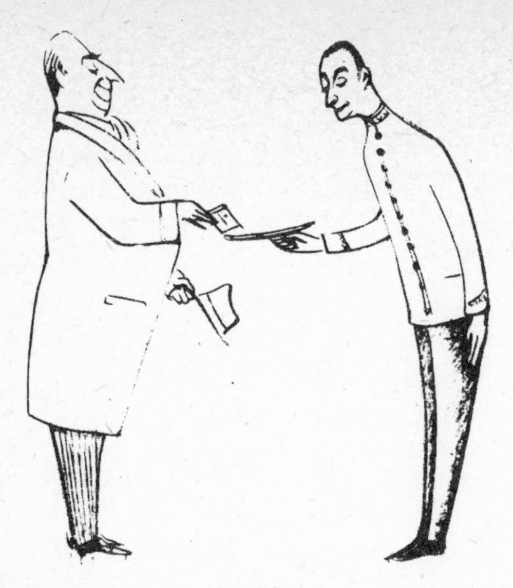

breviata. Tra amici, si può scrivere ad esempio "mercoledì 9" e basta.

Si incomincia a scrivere a tre quarti del foglio, in alto a sinistra: "*Caro Signore*" o "*Gentile Amica*", poi si va a capoverso e si incomincia il testo. Ai due lati del foglio si lascia un piccolo margine. Chi adopera carta-quaderno non salti, finita la prima facciata, alla terza, per poi tornare alla seconda e infine passare alla quarta, obbligando così il destinatario a difficili acrobazie. Si regoli come se scrivesse in un quaderno. Finita la lettera, non aggiunga di traverso, sul testo già scritto, tutto quello che non gli è entrato nel foglio: illeggibile, non sarà letto.

Non affidi al "poscritto" (*post-scriptum*: scritto dopo) l'argomento che più gli preme, come se gli fosse venuto in mente all'ultimo momento. Nessuno, ormai, cade più in questi tranelli, e la ricca zia che legge sotto un P.S.: "Mi viene in mente, figurati, che tra una settimana è il mio anniversario!", capirà a volo perché il nipote si è all'improvviso ricordato di scriverle.

Non si apre una lettera in presenza d'altri. Se la curiosità è troppo forte, si chiede il permesso di farlo, spiegando che si aspettano notizie importanti. Si leggerà la lettera rapidamente, senza esplodere in risatine, esclamazioni, commenti.

Si acclude un francobollo per la risposta quando nella lettera si chiede un'informazione e il destinatario è di condizioni decisamente modeste. Ma ciò facendo, occorre essere sicurissimi di non offenderlo. Il francobollo va accluso sempre se ci si rivolge a un ufficio pubblico.

Quando si affida una lettera a una persona, perché la recapiti a mano al destinatario, non si chiude la busta: ma chi prende la busta avrà il buon gusto di chiuderla in presenza di chi gliel'ha consegnata.

Le lettere indirizzate a persone che si trovano in casa d'altri portano la seguente precisazione: "*presso*". Oppure, invece di "presso", l'abbreviazione ormai in uso universale *c/o* (dall'inglese "*care of*", a cura di): *c/o Avv. Bassi.* O: *presso Avv. Bassi.*

Le cartoline con la sola firma rappresentano un atto di scarsa cortesia: quella firma frettolosa sembra voler dire non tanto che si pensa all'assente, quanto che si desidera che l'assente ci sappia in viaggio, in un bellissimo posto, mentre lui poverino...

Esempi di lettere

All'amica che si sposa

Cara Gigliola,

l'annuncio del tuo prossimo matrimonio mi ha riempita di gioia. Non conosco il privilegiato, ma tutti sono concordi nel descriverlo intelligente, simpaticissimo, insomma in tutto degno di te! Non mi par l'ora di rivederti radiosa e felice come certo devi essere.

In attesa, Gigliola carissima, ti abbraccio con tenero affetto.

La signora, alla madre della sposa

Carissima,

riceviamo ora la partecipazione con la bella notizia. I nostri cugini Alberti che conoscono bene l'architetto Rossi ci dicono che è un giovane pieno di brillanti qualità. Rallegramenti dunque, di tutto cuore, a Lei, a suo marito, alla armoniosissima coppia.

Rottura di fidanzamento (Vedi capitolo a pag. 52)

Alla futura suocera, con dei fiori

(Lei)

Cara Signora Luisa, (o Cara Signora)

affido a queste rose il compito di dirLe la mia gratitudine per la Sua affettuosa accoglienza. Ne sono rimasta molto commossa e spero voglia permettermi di abbracciarLa con tutto il cuore.

Alla futura suocera, con dei fiori

(Lui)

La ringrazio, gentile Signora, di avermi accolto con tanta cortesia e mi perdoni se non ho saputo esprimerle, come avrei voluto, la mia gratitudine per il suo invito. In attesa di poterla nuovamente incontrare, la prego di gradire l'espressione dei miei più devoti sentimenti.

Prima lettera della signora alla futura consuocera

Gentile Signora,

mio marito ed io saremmo felici di riceverla con l'Ingegnere uno dei prossimi giorni per il tè, e di ringraziarla a viva voce per l'affettuosa accoglienza fatta alla nostra Gigliola. Le andrebbe bene martedì alle cinque? In attesa, i nostri più amichevoli saluti.

Risposta

Grazie, gentile Signora, per il cortese invito. Anche per noi sarà un grandissimo piacere conoscere i genitori della cara Gigliola. A martedì dunque, per le cinque, e in attesa i nostri più cordiali saluti.

Lettera di condoglianze a un'amica

Ida, mia cara,

abbiamo saputo or ora del tuo lutto. Non cerco parole di consolazione, non ne troverei. Voglio soltanto dirti che ti sono vicina, che piangiamo con te, che il vuoto che lascia Ugo tra noi, i suoi amici di sempre, è incolmabile...

Voglio anche dirti che più che mai sentiamo di volerti bene e che devi contare su di noi per qualsiasi cosa. Telefonerò domani: fammi dire da qualcuno (senza che tu ti disturbi) se vuoi vedermi, o se preferisci lasciar passare un po' di tempo.

Ti abbraccio con infinita tenerezza.

Lettere di condoglianze a un amico

Caro Giovanni,

la notizia del Suo lutto mi ha profondamente colpita. Conobbi Sua madre l'anno scorso, in casa Danesi, e parlammo lungamente di musica, di viaggi, di comuni amici. Ho scritto "parlammo", ma avrei dovuto scrivere "L'ascoltai parlare": tutto ciò che Essa diceva era così giusto, così intelligente, brillante e sensibile... Le dico queste cose, perché Lei sappia quanta luce irradiasse la Sua povera Mamma anche su chi la conosceva appena, e quanto sia stata viva la mia commozione nell'apprendere la Sua improvvisa scomparsa.

Mi creda con la più sincera simpatia...

Lettera di giustificazione

Sono veramente mortificata, cara Maria, di non poter venire alla tua festa di giovedì, come ti avevo assicurato l'altro giorno. Avremo ospiti a pranzo e la mamma ci tiene assolutamente a che io non manchi, ma ogni mio pensiero sarà con voi! Ancora mille scuse e un abbraccio affettuosissimo.

Lettera di scuse

Cara Diana,

ti voglio troppo bene per non essere desolata delle mie parole accese in quella discussione di ieri: ero stupidamente irritata. Temo di averti offesa e che tu abbia preso sul serio tutte le sciocchezze che mi sono uscite di bocca. Non so darmene pace e ti prego di perdonarmi, considerando che simili bisticciate avvengono solo tra... sorelle, o tra persone che si vogliono bene come sorelle.

Aspetto qualche tua parola che cancelli tutto, e intanto ti abbraccio con un affetto più vivo che mai!

Lettera di ringraziamento

Egregio Avvocato,

la *Sua raccomandazione* ha fatto il miracolo: eccomi da due giorni impiegato alla S.A.I. Non so come esprimerLe la mia gratitudine: grazie al Suo intervento ho ritrovato la fiducia nel prossimo e quel che più conta in me stesso. Mia moglie è di nuovo serena e felice; i ragazzi potranno continuare gli studi. Tutto ciò lo dobbiamo a Lei: non lo dimentico né lo dimenticherò mai. Non vengo di persona a ringraziarLa perché La so molto occupata e non vorrei prendere ancora del Suo tempo, ma La prego di credere alla mia deferente e vivissima riconoscenza...

Al professionista che non vuole essere retribuito

Siamo commossi, gentile Avvocato (o caro Dottore, a caro Amico) della sollecitudine con cui ci è stato vicino in questo periodo difficile. Le saremo grati se vorrà accettare questo nostro ricordo in segno di affettuosa (o amichevole, o devota) riconoscenza.

Alla vecchia cameriera di casa

Mia cara Elisa,

eccomi lontana da Roma per una quindicina di giorni. Questo posto è bellisimo; ma non posso fare a meno di provare una certa nostalgia della casa, delle mie abitudini e della tua sollecitudine. Non sto a ripeterti le raccomandazioni che sai: ho piena fiducia in te e sono sicura che tutto procede a perfezione.

A presto, dunque, e intanto mille cari saluti.

IDA ROSSI

RISPOSTA

Gentile Signora,

La ringrazio per la Sua lettera e la Sua fiducia: farò del mio meglio per non deluderLa e stia tranquilla che i Suoi ordini vengono eseguiti puntualmente.

Voglia gradire i miei rispettosi saluti.

Sua aff.ma ELISA

Lutto

Carta da scrivere e cartoncini a lutto devono avere un bordo nero sottile: non si usano mai per le relazioni d'affari. Trascorsi sei mesi al massimo, si torna alla carta normale.

Si ringrazia delle condoglianze con un cartoncino listato a lutto e stampato come segue:

CARLO e MARIA DEI
RINGRAZIANO COMMOSSI

Si potranno aggiungere a mano poche parole. Per es.: "infinitamente grati".

È ammesso ringraziare anche con dei normali biglietti da visita: ma invece di tracciare a mano le due lettere "p. r., è preferibile scrivere per intero le parole "per ringraziare".

Lettere di presentazione

Le lettere di presentazione non vengono chiuse. Però, la persona per cui la lettera è stata scritta chiuderà la busta davanti a chi gliela consegna.

Se si tratta di una lettera di raccomandazione per un subordinato, questi la consegnerà a mano al destinatario oppure la rimetterà al di lui segretario ecc. Se si tratta di una lettera di presentazione tra persone dello stesso ambiente, la lettera sarà spedita o lasciata nella portineria del destinatario.

Supponiamo ora che una giovane coppia di Trieste si trasferisca a Livorno dove non ha nessuna conoscenza. Un'amica, Maria G., consegna ai partenti una lettera di presentazione per una signora colà residente. Come stabilire i contatti? La busta verrà inserita in un'altra busta insieme con un biglietto che conterrà pressappoco queste parole:

"Gentile Signora, Le accludo una lettera di Maria G., nostra comune amica. Sarei felice di poterLe portare personalmente le sue notizie e i suoi saluti, ed avere così il piacere di conoscerLa. Le unisco il mio numero telefonico e, in attesa, accolga i miei più cordiali saluti."

A questa lettera si risponderà con una telefonata, invitando la signora preferibilmente per il tè.

Le lettere a macchina sono ammesse tra persone molto in confidenza o in rapporti d'affari. Sono da escludersi nei rapporti formali. Però, a chi ha una grafia illeggibile, è permesso scrivere a macchina anche certe lettere che abitualmente andrebbero scritte a mano. Non si scrivono a macchina lettere di rallegramenti o di condoglianze.

Biglietti da visita

Il biglietto da visita non ammette fantasie: bianco, di carta *bristol*, formato rettangolare e proporzioni normali. Quello da signora può essere leggermente più piccolo di quello da uomo. I caratteri: corsivo inglese o stampatello, in litografia o, preferibilmente, in rilievo. I biglietti da visita per uso commerciale sono stampati lisci. Nome e cognome, nel centro del biglietto.

Il signore ne avrà di due tipi: uno d'affari, con le qualifiche professionali (indirizzo e telefono d'ufficio stampati in basso nell'angolo di sinistra), e uno per uso personale con nome e cognome, semplicemente, preceduti, se è il caso, dal titolo nobiliare, oppure sormontati dalla coroncina.

Sul biglietto della signora saranno stampati il nome e cognome, oppure i *due cognomi, quello del marito prima, quello suo di ragazza dopo.* La figlia del conte Nobili sposata all'ing. Rossi, rinuncerà all'ambizione di ricordare a tutti la sua origine: niente "nata dei conti Nobili" sul biglietto da visita. La nuora del marchese Natobene non farà stampare "Marchesa Maria Natobene", ma semplicemente "Maria Natobene" sormontato dalla coroncina, in rilievo (il titolo di marchesa spetta solo alla moglie del marchese padre.)

Una vedova continuerà ad usare gli stessi biglietti da visita che adoperava prima della scomparsa del marito, cioè con i due cognomi. "Maria Bianchi ved. Rossi" è funereo, quindi sconsigliabile.

Le signore che si occupano di affari, che lavorano, o che hanno una laurea e una professione, possono, come i loro mariti, avere due tipi di biglietti di visita: uno per uso di ufficio e uno per uso di società. Sul primo si fregino pure delle loro qualifiche "Prof.ssa", "Dott.ssa"; oppure, sotto il nome, "Direttrice Casa Editrice Novella". Sul secondo, soltanto nome e cognome.

Marito e moglie avranno anche dei biglietti da visita in comune: il nome di lui precederà quello di lei. Per esempio:

MARIO e CARLA ROSSI

Uso dei biglietti da visita

Il biglietto da visita *può accompagnare un regalo* o dei fiori. Se viene mandato a una persona amica si cancella con un tratto di penna il titolo professionale e il cognome: a questi biglietti si aggiungono generalmente alcune parole affettuose. Esempio:

AVV. MARIO DANZI
con tanti affettuosi auguri (a mano)

Se viene mandato *a una signora* con cui si è in rapporti formali, si cancella solo il titolo professionale. Per esempio, dopo un invito a pranzo:

AVV. MARIO DANZI
con devoti ringraziamenti (a mano)

Altro esempio:

CLEMENTE e FRANCA MARTINI
ringraziano infinitamente per
i bellissimi fiori. (a mano)

Il biglietto da visita può essere mandato per posta *al momento di lasciare una città* se manca il tempo di fare personalmente una visita di commiato. È un sistema formalmente ammesso, ma spicciativo e freddino. Chi ritiene di adottarlo, aggiungerà qualche parola chiarificatrice: scrivere (nell'angolo in basso a sinistra) soltanto le tre lettere "p.p.c." è un sistema troppo sbrigativo. Può anche capitare che chi riceve il biglietto non sappia interpretare "*per prender congedo*" e fraintenda in qualche modo le tre lettere come accadde alla moglie di un commerciante, notoriamente indebitato, che credette di dover capire: "pregovi pagare cambiali".

Il biglietto da visita può essere mandato in ringraziamento per delle congratulazioni o delle condoglianze. In questi casi, i frettolosi se la caveranno con le due lettere "p.r.", a meno che non abbiano addirittura ordinato dei biglietti con la dicitura "per ringraziare", in basso a sinistra. Chi ha tempo di essere più cortese, preferirà aggiungere a mano alcune parole a quelle già stampate.

Il biglietto da visita viene lasciato alla persona di servizio per farsi annunciare alla padrona di casa, se ci si presenta senza essere stati espressamente invitati, oppure, se la padrona di casa è malata e si tiene semplicemente a darle una prova di sollecitudine.

Può essere lasciato alla persona di servizio (o al portiere) con le parole "per condoglianze" tracciate a mano, nell'angolo in basso di sinistra, se nell'ingresso della casa in lutto non è stato esposto l'apposito registro per le firme.

Se la persona che ci si è recati a trovare non è in casa, il biglietto da visita che si lascia al domestico va piegato lungo il lato destro a circa un paio di centimetri da questo; alcuni preferiscono ancora piegarne l'angolo, come si usava tempo fa. *Se la padrona è in casa*, il biglietto dato al domestico per farci annunciare, *non* va piegato.

Una signora non si presenta con un biglietto da visita a un uomo, né glielo manda per ringraziare. In questo caso, ricorre a un cartoncino, con poche parole.

Finché dipendono dai genitori, *le ragazze non hanno biglietti da visita*: incominciano ad averne quando s'impiegano, quando fanno lunghi soggiorni fuori casa, quando viaggiano sole. Biglietti sobri: nome, cognome e basta.

Un giovane dispone di biglietti da visita quando incomincia ad accompagnare delle signorine, a esser invitato da solo, appena, insomma, ha degli obblighi sociali. Anche per lui: nome, cognome e basta.

CAPITOLO XXIX

ORDINE DI PRECEDENZA FRA PERSONE DI DIVERSE CATEGORIE

Tra personaggi politici:

Capo dello Stato
Presidente del Consiglio
Presidente del Senato
Presidente della Camera dei Deputati
Ministri del Gabinetto
Senatori
Segretari di Stato
Sottosegretari di Stato

Tra i titoli nobiliari:

ITALIA

Principe
Duca
Marchese
Conte
Barone

INGHILTERRA

Prince	Principe	soltanto di Casa Reale: in genere si tratta solo dell'erede al trono.
Duke	Duca	
Marquis	Marchese	
Earl, Count	Conte	
Viscount	Visconte	
Baron	Barone	
Sir	Baronetto	

I primi cinque sono Pari e hanno diritto all'appellativo di *Lord* o *Lady*. Baronetti e Cavalieri hanno diritto all'appellativo di *Sir*. Le loro mogli a quello di *Lady* seguito dal cognome.

GERMANIA - AUSTRIA

Grossherzog	Granduca	questo grado è pari a quello dei Duchi. La distinzione del titolo è soltanto onorifica.
Fürst, Prinz	Principe	
Herzog	Duca	in Germania il titolo di Duca è generalmente superiore a quello di Principe.
Markis o Markgraf	Marchese	
Landgraf	Landgravio	
Graf	Conte	
Baron, Freiherr	Barone	

FRANCIA

Prince	Principe
Duc	Duca
Marquis	Marchese
Comte	Conte
Vicomte	Visconte
Baron	Barone

Tra diplomatici:

Ambasciatore
Inviato Straordinario e Ministro Plenipotenziario di Prima Classe
Inviato Straordinario e Ministro Plenipotenziario di Seconda Classe
Consigliere d'Ambasciata
Consigliere di Legazione
Primo Segretario di Legazione
Secondo Segretario di Legazione
Terzo Segretario di Legazione

Addetto Legazione
Volontario

Non c'è più divisione fra carriera diplomatica e carriera consolare. La carriera è stata unificata. I diplomatici possono essere inviati all'estero come Vice Consoli, Consoli e Consoli Generali: la precedenza all'estero differisce secondo i casi.

Quando c'è una manifestazione per la collettività italiana all'estero, l'ordine di precedenza è il seguente:

Ambasciatore
Rappresentante Consolare
Consigliere ecc.

Se manca l'Ambasciatore, è il seguente:

Incaricato d'Affari
Console
Consigliere ecc.

Quando ci sono manifestazioni politiche, la precedenza va stabilita in questo modo:

Ambasciatore
Consigliere

Il Console va secondo il proprio grado nei confronti degli altri colleghi.

Tra militari:

Generale d'Armata
Generale di Corpo d'Armata
Generale di Divisione
Generale di Brigata
Colonnello
Maggiore
Capitano ecc.

Tra ufficiali di Marina:

Ammiraglio di Squadra
Ammiraglio di Divisione
Contrammiraglio
Capitano di Vascello
Capitano di Fregata
Capitano di Corvetta
Tenente di Vascello ecc.

Tra ufficiali d'Aeronautica:

Generale di Squadra Aerea
Generale di Divisione Aerea
Generale di Brigata Aerea
Colonnello
Maggiore
Capitano ecc.

Tra ufficiali di pari grado, la precedenza è stabilita dall'anzianità di grado; a parità di anzianità di grado, dall'anzianità di nascita. Tra ufficiali di pari grado appartenenti all'Esercito, alla Marina, all'Aeronautica, la precedenza spetta all'Esercito. Segue la Marina e poi l'Aeronautica.

Alta Magistratura:

Primo Presidente di Corte di Cassazione
Presidente Consiglio di Stato
Procuratore Generale Corte di Cassazione
Presidente Corte dei Conti
Avvocato Generale dello Stato
Primo Presidente di Corte d'Appello
Procuratore Generale di Corte d'Appello

Non si è ancora stabilito se il Presidente della Corte Costituzionale debba seguire o precedere il Primo Presidente della Corte di Cassazione.

Modo di rivolgersi

Rivolgendosi a una persona titolata i domestici diranno: « Signor conte », « Signora marchesa ». Un impiegato dirà: "conte, marchesa".

Quando si è *di pari condizione sociale*, ma non in rapporti di amicizia, rivolgendosi a un uomo titolato sarà meglio chiamarlo per cognome, senza far precedere questo dal titolo. Se poi si è in rapporti amichevoli, si eliminano i vari "conte" e "marchesa" dalla conversazione. Non si dirà « contino » al figlio del conte, né « marchesina » alla figlia della marchesa. Di regola le qualifiche "don" e "donna" spetterebbero solo ai componenti delle famiglie insignite del titolo di principi e duchi (e dei conti e marchesi romani cosiddetti di Baldacchino). La qualifica "Donna" spetta anche alle consorti delle personalità indicate nelle categorie I e II nell'ordine di precedenza nelle pubbliche funzioni (vedere lo specchietto che è pubblicato a pag. 141), ma ormai se ne ammette un uso più elastico. È consuetudine, infatti, chiamare "Donna" le consorti di personaggi in vista o illustri. Tuttavia, *abusare di questo titolo nella vita di società è uno snobismo ridicolo.*

Nel presentare una persona titolata, si dice: « conte Ferri» o « marchesa Prati ». Nel presentare i figli di un nobile: « conte Carlo Ferri » e « Donna Carla Prati », ma nel presentare una donna nobile – non sposata – si dirà semplicemente "la signorina X", se è molto giovane, oppure la si chiamerà "marchesa" se non è più giovanissima: mai *Donna*, se non ne ha il diritto.

Ai Principi di sangue reale, ai granduchi regnanti ed ereditari spetta il titolo di Altezza Reale. A quelli di sangue imperiale, il titolo di Altezza Imperiale (per esempio, gli Arciduchi d'Austria).

Ai Principi Sovrani (vedi Ranieri e Grace di Monaco) spetta il titolo di Altezza Serenissima. Ammessi alla loro presenza, ci si rivolge a lui dicendo « Monsignore », a lei « Vostra Grazia ».

Alle Altezze Reali si parla alla terza persona. Nelle presentazioni, le signore fanno la riverenza, gli uomini un inchino. Non si fa il gesto di tendere la mano prima che l'Altezza Reale abbia tesa la sua.

Di Principi oggi se ne incontrano un po' dappertutto: ai ricevimenti, nei luoghi di villeggiatura e di cura, sui transatlantici, ecc. Per quanto affabili e di facile approccio possano essere, il buon gusto vuole che si osservi nei loro confronti un contegno deferente e corretto.

Il signore che viene a trovarsi alla presenza del *Capo dello Stato*, aspetta che gli venga tesa la mano. Nel prenderla, s'inchina. Una signora non fa la riverenza né al Presidente né alla Consorte del Presidente della Repubblica, ma marcherà la sua deferenza aspettando, anche lei, che le venga tesa la mano. Fatto il saluto, aspetterà ancora: non tocca a lei aprire il discorso.

Non si rimane seduti al passaggio o in presenza del Capo dello Stato: gli si deve lo stesso rispetto che si deve alla bandiera.

COME CI SI RIVOLGE:

– *a un Ministro del governo*	Signor Ministro
– *a un Senatore*	Senatore o Onorevole Senatore
– *a un Deputato*	Onorevole
– *a un Ambasciatore*	Signor Ambasciatore
– *a un Ministro Plenipotenziario*	Signor Ministro
– *a un Cardinale*	Eminenza
– *a un Vescovo*	Eccellenza
– *a un Nunzio Apostolico*	Eccellenza
– *a un Prefetto*	Signor Prefetto
– *a un Sindaco*	Signor Sindaco
– *al Presidente* { *del Consiglio* / *della Corte di Cassazione* / *della Corte dei Conti* / *del Tribunale* }	Signor Presidente
– *a un Curato*	Signor Curato
– *a un Ecclesiastico in generale*	Reverendo o Padre
– *a una Madre Generale*	Madre o Reverenda Madre
– *a una Madre Superiora*	Madre o Reverenda Madre
– *a una Suora*	Sorella

– *all'istitutrice*	*italiana*	Signorina
	francese	Mademoiselle
	tedesca	Fräulein
	inglese	Miss
– *a un Pastore protestante*		Signor Pastore
– *a un Rabbino*		Dottore o Rabbi

Rivolgendosi a un Capitano, a un Maggiore, a un Ufficiale superiore in genere, si dice soltanto il grado se i rapporti sono da pari a pari, o se chi gli parla è una signora: « Capitano, posso offrirle una tazza di tè? ». Ma a un anziano generale la giovane signora dirà: « Signor Generale ».

Agli Ufficiali di Marina ci si rivolge con la qualifica di « Comandante », dal grado di tenente di Vascello in su. Ma a un Contrammiraglio o a un Ammiraglio ci si rivolge chiamandolo Ammiraglio.

Rapporti vari con alti personaggi

Medico e sacerdote chiamati dal Capo dello Stato o da una Altezza Reale sono dispensati dal seguire l'etichetta di rigore.

I fornitori non si profondono davanti a loro in inchini e riverenze. Rimangono rigidamente composti in attesa di ordini. Si accomiatano al primo cenno, discretamente, con un rapido inchino.

Udienze

Col Sommo Pontefice

Desiderando essere ricevuti in udienza privata o collettiva (la prima, difficile da ottenere) dal Sommo Pontefice, si indirizza la domanda all'Ecc. Monsignor Maestro di Camera, in Vaticano. Verrà adoperato un foglio di carta ampio, bianco, senza intestazione; si scriverà con inchiostro nero o blu scuro, con scrittura chiara. Alle udienze ci si presenta puntualissimi e vestiti secondo le regole.

Udienza privata: gli uomini in *frac* con cravatta bianca, *gilet* nero e decorazioni. Le signore in nero, il capo ricoperto da un velo che scende fin sotto le spalle, vestito lungo, accollatura severa, guanti neri. È consigliabile non ornarsi di gioielli.

Udienza pubblica: gli uomini sono in completo da pomeriggio, le signore in nero col velo.

Il protocollo dell'udienza viene spiegato dettagliatamente prima di essere ammessi davanti al Santo Padre: non è il caso, quindi, di dilungarsi qui su questo argomento. Ricorderò solo che nel rivolgersi, o meglio nel rispondere a un'eventuale interrogazione del Pontefice, si dice: «Santissimo Padre» o «Padre Santo».

Con un personaggio ufficiale

Si indirizza una richiesta di udienza specificandone chiaramente e brevemente il motivo. Se si è ammessi, entrando nell'ufficio della personalità ci si inchina leggermente e si resta in attesa di essere interrogati. È raccomandabile essere brevi e concisi.

Al primo cenno di congedo, ci si alza, ci si inchina e ci si ritira, a meno che non ci venga tesa la mano.

FACSIMILI

CAMILLA RIVETTI CORONA

è lieta di annunciare il fidanzamento di suo figlio Pier Giorgio con Lillian Livi

Piero e Maria Galli

annunciano lieti il fidanzamento della loro figlia Maddalena con l'avvocato Luigi Del Canto

Partecipazioni di fidanzamento

L'Architetto Mario Petri e
la Signora Ida Petri Coletti
partecipano il matrimonio della loro
figlia Luisa con l'Ingegner
Pasquale Nelli

Il Professor Federico Nel[...]
la Signora Pia Nelli A[...]
partecipano il matrimonio del[...]
figlio Pasquale con la Signor[...]
Luisa Petri

La cerimonia nuziale avrà luogo
nella Chiesa di S. Agnese in Piazza Navona
il 6 Dicembre 1959 alle ore 11.30

Roma, Viale Parioli, 3

Milano, Via Brera, 2[...]

Mario e Ida Petri, riceveranno gli amici
al Grand Hotel, dopo la cerimonia nuziale
per una colazione in onore degli sposi.

PARTECIPAZIONE DI NOZZE CON BIGLIETTO D'INVITO AL RINFRESCO

Carlo e Arabella dopo la
cerimonia saluteranno gli amici
al "Girarrosto" (S. Vincenzo)

SE INVITANO GLI SPOSI

VALENTINO E NINI BOMPIANI SARANNO LIETI DI
RICEVERE A COLAZIONE GLI AMICI DOPO LA
CERIMONIA NUZIALE PER UN SALUTO AGLI SPOSI

S. P. R.

RUPECANINA
LERICI (LA SPEZIA)

SE INVITANO I GENITORI DELLA SPOSA

Piero e Irene Parisi
all'Hotel Excelsior il giorno
5 Dicembre dopo le ore 18

SE INVITANO I GENITORI DELLA SPOSA
(a un cocktail, alcuni giorni prima delle nozze)

The Duke and Duchess of Windsor

request the pleasure of

M. Indro Montanelli

company for Cocktails

on Monday 3rd December

at 6-8 o'clock

R.S.V.P.
The Private Secretary

Veuillez présenter cette carte à l'entrée

IL PRINCIPE E LA PRINCIPESSA RUSPOLI

in casa mercoledì 25 maggio
dopo le 19

PALAZZO RUSPOLI

La Principessa Aldobrandini
prega la
N.D. Marchesa Dal Pozzo
di voler venire da lei sabato 2 giugno
alle ore 18

Villa Aldobrandini
Frascati

INVITI A « COCKTAILS », DI TONO FORMALE

Il Cavaliere del Lavoro Dott. Salvatore Orlando e Yetta Orlando Zenoni partecipano il matrimonio della loro figlia Irma con il Dott. Manfredo Camperio

La Signora Eleanor Camperio Terry partecipa il matrimonio di suo figlio Manfredo con la Signorina Irma Orlando

Firenze, 22 Giugno 1955
Chiesa di Ognissanti ore 10,30

Lungarno A. Vespucci, 26 - Firenze

"La Santa,,
Villasanta (Milano)

Partecipazione con la madre dello sposo vedova

Il Generale Gaetano Le Maître partecipa il matrimonio di sua figlia Arabella con l'Avv. Carlo Ungaro.

L'Avvocato Filippo Ungaro partecipa il matrimonio di suo figlio Carlo con Arabella Le Maître

La cerimonia avrà luogo il 27 Ottobre 1956
nella Chiesa di S. Andrea in Castiglioncello (Livorno)

Roma, 12 Via Paraguay

Roma, 13 Piazza della Libertà

Partecipazione con i genitori degli sposi ambedue vedovi

Il Prof. Kurt Hruska e Hilde Hruska Ptack partecipano il matrimonio della loro figlia Memi con il Barone

Giuseppe Chiaramonte Bordonaro di Gebbiarossa

Maria Fassini ved. Chiaramonte Bordonaro con il marito Generale Steno Pacini partecipa il matrimonio di suo figlio Giuseppe con

Memi Hruska

La cerimonia nuziale avrà luogo in Roma
nella Chiesa di S. Onofrio al Gianicolo
il 27 Ottobre 1963 alle ore 11

Roma Via dei Monti Parioli, 10

Roma Casalbruciato Via Tiburtina, 744

PARTECIPAZIONE DI MADRE VEDOVA RISPOSATA

Dott. Ing. Corrado Petrilli — *Fiamma Pintacuda*

annunciano il loro matrimonio

La cerimonia avrà luogo il 14 Gennaio 1957
nella Chiesa di S. Andrea in Castiglioncello

Milano
Via Motta, 6

Castiglioncello, Livorno
Villa Salghetti Drioli

PARTECIPAZIONE PERSONALE DEGLI SPOSI

La Contessa Eleonora Attolico di Adelfia nata dei Conti Pietromarchi partecipa il matrimonio di sua figlia Maria Carmela con il Visconte William Herbert Hambleden

La Viscontessa Hambleden nata Lady Patricia Herbert partecipa il matrimonio di suo figlio il Visconte William Herbert con Maria Carmela Attolico dei Conti di Adelfia

La cerimonia nuziale sarà celebrata in Roma
Lunedì 21 febbraio 1955 alle ore 16,45
nella Chiesa di S. Maria in Domnica alla Navicella

15 Via di Porta Latina
Roma

The Manor House
Hambleden
Henley on Thames

PARTECIPAZIONE DI MATRIMONIO CON UNO STRANIERO

La Baronessa Bianca Franchetti
Rocca partecipa il matrimonio di
sua figlia Lorian con il Conte
Don Loffredo Gaetani Lovatelli
dell'Aquila d'Aragona

Il Conte Filippo Lovatelli
partecipa il matrimonio di suo figlio
adottivo Conte Don Loffredo Gaetani
Lovatelli dell'Aquila d'Aragona
con la Signorina Lorian Franchetti

La cerimonia nuziale avrà luogo
nella Chiesa di S. Trovaso di Preganziol
il 30 Giugno 1952

Villa Franchetti
S. Trovaso (Treviso)

Palazzo Lovatelli
Piazza Lovatelli, Roma

PARTECIPAZIONE CON FIGLIO ADOTTIVO

Filippo Caracciolo Principe di Castagneto
e Margaret Caracciolo Principessa di
Castagneto nata Clarke partecipano
il matrimonio della loro figlia Marella
con Giovanni Agnelli

Giovanni Agnelli partecipa
il suo matrimonio con Donna
Marella Caracciolo di
Castagneto

La Benedizione nuziale avrà luogo
nella Chiesa parrocchiale di Osthoffen
il giorno 19 Novembre 1953 alle ore 11,30

Château Grouvel
Osthoffen (Bas Rhin) Francia

Corso Matteotti, 26
Torino

PARTECIPAZIONE PER SPOSO ORFANO OPPURE VEDOVO

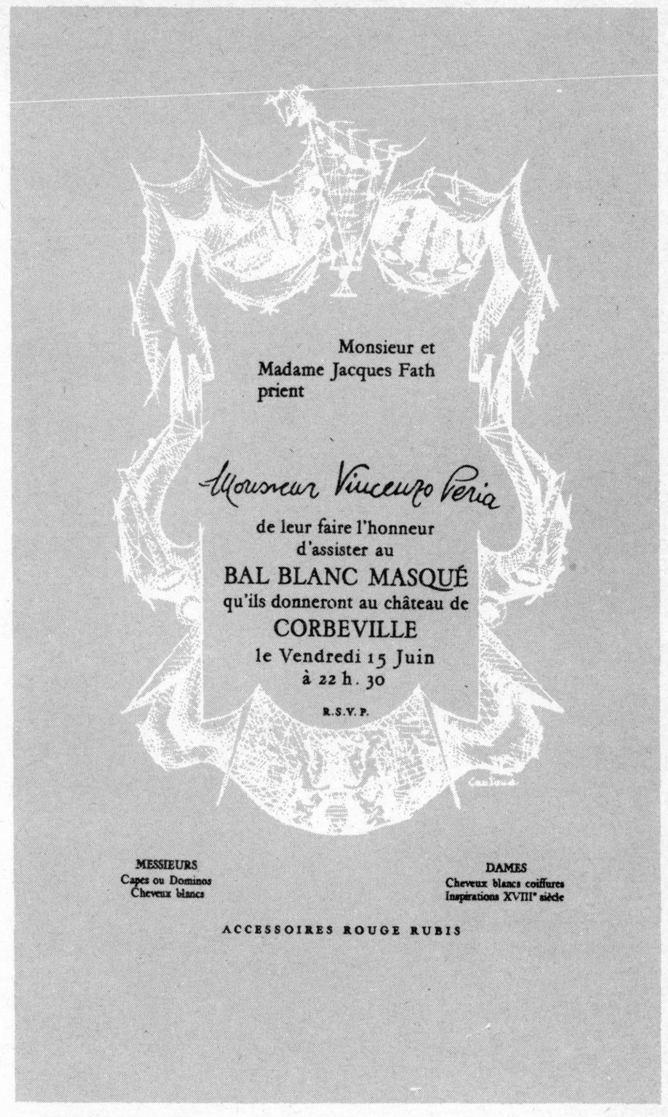

Monsieur et
Madame Jacques Fath
prient

Monsieur Vincenzo Peria

de leur faire l'honneur
d'assister au

BAL BLANC MASQUÉ

qu'ils donneront au château de

CORBEVILLE

le Vendredi 15 Juin
à 22 h. 30

R.S.V.P.

MESSIEURS
Capes ou Dominos
Cheveux blancs

DAMES
Cheveux blancs coiffures
Inspirations XVIIIe siècle

ACCESSOIRES ROUGE RUBIS

INVITO A UN BALLO IN COSTUME